BERNER OBERLÄNDER KÜCHE
LA CUISINE DE L'OBERLAND BERNOIS
BERNESE OBERLAND COOKING

URS WANDELER   ELSBETH HOBMEIER

INHALT

SOMMAIRE

TABLE OF CONTENTS

TRANSPARENT, EHRLICH, ECHT
TRANSPARENT, HONNÊTE ET VRAI
TRANSPARENT, HONEST, REAL

Mit Urs Wandeler hat Elsbeth Hobmeier gesprochen.

Urs Wandeler ist einer der kreativsten Küchenchefs des Berner Oberlandes. Er setzt auf die besten Produkte der Region – und kreiert daraus verblüffende Gerichte. Der heimischen Scholle ist er treu geblieben, gibt ihr aber den Glamour einer großen Küche.

Sie leben, arbeiten und kochen im Berner Oberland. Was ist für Sie die Berner Oberland Küche?
Es ist eine Küche mit regionalen Produkten, eine Küche, die ins Berner Oberland passt. Also eine Küche ohne Chichi. Sie soll transparent und greifbar, echt und ehrlich sein. Nichts Gesuchtes, man muss die Natur darin spüren. Unsere wunderschöne Umgebung, unsere Berge, unsere Seen … das alles muss harmonieren. Ein Beispiel ist eine mit Alpkäse überbackene Rösti.

Elsbeth Hobmeier a posé les questions à Urs Wandeler.

Urs Wandeler est l'un des chefs de cuisine les plus créatifs de l'Oberland bernois. Il mise sur les meilleurs produits de la région pour en créer des mets épatants. Il est resté fidèle aux produits du terroir tout en leur donnant l'éclat de la grande cuisine.

Vous vivez, travaillez et cuisinez dans l'Oberland bernois. Que signifie pour vous la cuisine de cette région?
C'est une cuisine basée sur des produits régionaux, une cuisine qui a sa place dans l'Ober-land bernois. Donc, sans chichis, transparente, compréhen-sible, véritable et honnête. Rien d'extravagant, rien de brut. Elle est liée à la terre et il faut y retrouver la nature. Et sur-tout notre magnifique paysage, nos montagnes, nos lacs … tout doit s'y refléter. Prenons comme exemple un rœsti gratiné avec un fromage d'alpage.

Urs Wandeler was interviewed by Elsbeth Hobmeier.

Urs Wandeler is one of the most creative chefs in the Bernese Oberland. He favours the best products of the region and creates astonishing dishes out of them. He has remained faithful to the local tradition, yet gives it the glamour of a grand cuisine.

You live, work and cook in the Bernese Oberland. What does the Bernese Oberland cuisine mean to you?
It is a cuisine with regional products, a cuisine that suits the Bernese Oberland. It is also a cuisine without chichi. It should be transparent and within reach, real and honest. Nothing fake, nothing harsh. It must have a down-to-earth refine-ment; one has to feel nature in it. And our beautiful surrounding, our mountains, our lakes … all this has to be in harmony. An example is the Rösti, scalloped with cheese from the alp.

Gibt es die Berner Oberland Küche überhaupt als offizielle Bezeichnung?

Nein, so gefragt muss ich eingestehen: es gibt sie nicht. Verglichen etwa mit der großen Französischen Küche gibt es übrigens auch keine Schweizer Küche und noch viel weniger eine Berner Oberland Küche. Es gibt Gerichte, die aus bestimmten Regionen oder Kantonen stammen. Also klassische Gerichte, welche man mit einer Region in Verbindung bringt.

Was ist ein typisches Gericht für Ihre Region?

Meringues zum Beispiel, das ist für mich Oberland – auch wenn sie im Emmental oder im Freiburgischen hergestellt werden. Oder so ein richtig guter Alpkäse von unseren Alpen. Wichtig sind wohl eher die Grundprodukte, aus denen man ein Gericht zubereitet.

La cuisine de l'Oberland bernois, est-ce une dénomination officielle?

A cette question, il faut répondre clairement non. En comparaison à la grande cuisine française, il n'existe pas non plus de cuisine suisse, encore moins une cuisine de l'Oberland bernois. Mais il existe certains mets originaires de certains cantons ou de certaines régions, des mets classiques que l'on associe à certaines régions.

Citez-nous un met typique de l'Oberland bernois.

Les meringues, par exemple, représentent pour moi typiquement l'Oberland, même si elles proviennent de l'Emmental ou de la région fribourgeoise. Ou alors un de ces excellents fromages de nos alpages. De toute façon, ce sont probablement plutôt les produits de base servant à la préparation d'un mets qui sont déterminants.

Does such an official name as the Bernese Oberland cuisine actually exist?

No it doesn't I admit, if you ask me like that. Compared for example to the grand French cuisine there is also no Swiss cuisine as such and even less a Bernese Oberland cuisine. But there are certain dishes that come from a certain region or certain cantons. Also classical dishes which one relates to a region.

What is a typical dish for your region ?

Meringues for example: that for me is the Oberland – even though they are produced in the Emmental or in the canton of Fribourg. Or a real good alp cheese from our alps. However, what counts are the ingredients of a dish.

Would one have to invent the Bernese Oberland cuisine?

One cannot invent it. But one can define it with the products one uses by including them in the menu and thereby making them

Müsste man die Berner Oberland Küche erfinden?

Erfinden kann man sie nicht. Aber man kann sie über die Produkte definieren, indem man diese ins Angebot aufnimmt und dadurch bekannt macht. Eine rein touristische und dadurch fast schon folkloristische Vermarktung finde ich nicht erstrebenswert. In eine Regionenküche sollte man auch die einheimische Bevölkerung mit ihrem Wissen und ihren Emotionen einbinden.

Wie definieren Sie Ihre persönliche Kochphilosophie?

Sie ist ehrlich, transparent, ohne zuviel Brimborium. Mein Motto lautet: Perfektion in der Einfachheit. Ich packe nicht alles auf einen Teller. Ich überfordere den Gast nicht mit zu vielen unterschiedlichen Aromen neben- und miteinander. Er soll spüren, was er isst, die Zutaten müssen harmonieren. Ich überlege mir, was zusammen passt. Zum Beispiel süßsaure

Devrait-on inventer la cuisine de l'Oberland bernois?

On ne peut pas l'inventer. Mais on peut la définir à travers ses produits en les incorporant dans son offre et en augmentant ainsi leur renommée. Je ne suis pas adepte d'une commercialisation purement touristique et pratiquement folklorique. Dans une cuisine régionale, on devrait également incorporer la population autochtone avec ses connaissances et ses émotions.

Comment définissez-vous votre philosophie culinaire personnelle?

Ma cuisine est simple, claire, sans trop d'apparat. Et ici ma devise: la perfection dans la simplicité. Je ne charge pas tout sur une seule assiette. Je n'abuse pas mes hôtes en leur proposant trop d'arômes différents en parallèle ou en association. Ils doivent toujours sentir ce qu'ils mangent et les garnitures doivent être en harmonie. Je réfléchis toujours

known. I find a purely touristy and therefore almost folkloristic marketing undesirable. One should also include the local people with their knowledge and skills.

How do you define your personal philosophy as chef?

It is honest, transparent, without too much fuss. My device is: perfection in its simplicity. I do not cram everything onto one single plate. I don't overburden the guest with too many different aromas next to and with each other. The guest should always taste what he eats – the ingredients have to harmonise. I reflect on what goes together, for example, sweet-and-sour cherries with veal. Or black walnuts with smoked trout. In contrast, I never serve veal and crustaceans in the same dish; these are two unrelated worlds.

Kirschen zu Kalbfleisch. Oder
schwarze Baumnüsse zu
geräucherter Forelle. Dagegen
serviere ich nie Kalbfleisch
und Krustentiere im gleichen
Gericht. Für mich sind das
zwei Welten, die keinen Bezug
zueinander haben.

**Ihre Teller sehen auch
wunderschön aus ...**
Ja, der optische Eindruck ist mir
wichtig. Der Gast darf gerne
freudig überrascht auf den Teller
schauen. Aber vor allem
anderen muss der Geschmack
stimmen, sonst ist der Gast
enttäuscht. Ich strebe nicht nur
das Augen-, sondern auch
das Gaumenerlebnis an. Deshalb
bin ich sehr zurückhaltend
bei frittierten und getrockneten
Garnituren. Ich setze lieber
auf frische Kräuter und auf gute,
schaumige Saucen. Mein
Credo: Der Gast soll sich wohl
fühlen, er will nicht über-
fordert, aber schon ein wenig
überrascht werden. Wenn er zu
mir kommt, erwartet er ja
auch eine kreativere Küche, als

pour trouver ce qui pourrait
s'accorder. Par exemple
des cerises à l'aigre-doux avec
du veau. Ou des noix noires
avec des truites fumées. En
revanche, je ne sers jamais de
la viande de veau avec des crus-
tacés pour le même repas.
Ce sont deux mondes distincts
sans relation directe.

**Mais vos assiettes sont égale-
ment un plaisir pour l'œil ...**
Oui, je mise beaucoup sur
l'impression optique et j'apprécie
que le client ait du plaisir en
regardant son assiette. Mais c'est
le goût qui doit avant tout
être parfait, sinon il sera déçu.
Je ne vise pas seulement l'effet
optique, mais aussi l'événe-
ment gustatif. J'utilise avec beaucoup de retenue les garnitures frites ou séchées. Je mise
plutôt sur des fines herbes
fraîches et de bonnes sauces
légères. Mon crédo: que l'hôte se
sente à l'aise; il ne veut pas
être dépassé, mais bien un peu
surpris. S'il vient chez moi,
il s'attend certainement à une

**But your plates are beautiful
to look at as well ...**
Yes, appearance is important to
me. The guest may be taken
by surprise when looking at the
plate. But most importantly
the taste must be right otherwise
he will be disappointed. I do
not aim at pleasing mainly the
eye, but also the palate.
That is why I am very sparing
with deep-fried and dried
trimmings. I dote on fresh herbs
and good, frothy sauces. My
credo is: the guest should feel at
ease, he does not want to
be swamped, but nevertheless
wishes to be a bit surprised.
When he comes to me, he
expects a more creative cuisine
than at a simple village inn.
Most important for me is that
we can bring across the joy:
Our joy for the product, the work
and the presentation.

wenn er in eine einfache Dorf-beiz geht. Das Wichtigste aber ist für mich, dass wir die Freude hinüberbringen können: Unsere Freude am Produkt, an der Arbeit, an der Präsentation.

Sie arbeiten gerne mit regionalen Produkten. Welches würde Ihnen am meisten fehlen?

Der Käse ist ganz klar eines der wichtigsten Produkte unserer Region. Frischkäse, Alpkäse, alle möglichen Sorten ... sie sind deshalb auch ein unverzicht-barer Bestandteil meiner Küche. Da spricht auch mein Herz mit, denn ich arbeitete einmal während einer ganzen Saison auf einer Alp und half täglich beim traditionellen Käsen. Wir kästen über dem offenen Feuer, wie vor tausend Jahren. Seither weiß ich, wie hart diese Arbeit ist – und schätze den Alpkäse jetzt noch viel mehr als zuvor. Denselben persön-lichen Bezug suche ich auch bei anderen Produkten. Ich ging auch schon mal mit auf die Jagd. Ich arbeitete zwei Wochen mit

cuisine plus créative que dans un bistrot de campagne.
Mais pour moi, le plus important est de pouvoir transmettre notre plaisir, le plaisir de travailler, le plaisir du produit frais et le plaisir de la présentation.

Vous aimez travailler avec des produits frais. Lequel voudriez-vous ne perdre en aucun cas?

De toute évidence, le fromage est un des produits les plus importants de notre région. Le fromage frais, le fromage d'alpage, toutes les sortes possibles ... Ils sont de ce fait un élément indispensable pour ma cuisine. J'y mets aussi mon cœur, puisque j'ai travaillé durant toute une saison sur un alpage en aidant à produire tous les jours le fromage d'alpage. Nous travaillions sur le feu de bois, comme il y a mille ans. Depuis, je sais combien d'effort demande la fabrication du fromage d'alpage et je l'estime encore davantage. Je recherche également à avoir un

You like to work with regional products – which product would you miss the most?

Cheese is clearly one of the most important products of our region. Fresh cheese, mountain cheese, all sorts of cheeses ... They are therefore also an indispensable part of my cuisine. Here my heart speaks, because I once worked during a whole summer season on an alp and helped with the traditional cheese-making. We made the cheese over an open hearth like they did thousands of years ago. Since then I have realised how hard this work is – and appreciate the mountain cheese now even more than before. I like to relate in the same personal way to other products as well. I also went along on a hunt once. I worked two weeks with a professional fisherman, went out on the lake at four in the morning, threw out the nets, took in the catch and then sold the fish at the market. The tradition behind the products

einem Berufsfischer, fuhr morgens um vier Uhr hinaus auf den See, ich habe Netze ausgeworfen, den Fang hineingeholt und später die Fische auf dem Markt verkauft. Die Tradition hinter diesen Produkten fasziniert mich: Käse haben schon die Urahnen hergestellt. Auch gejagt hat man immer schon und Fische aus dem See geholt. Hier sind unsere Wurzeln.

Sind für Sie Traditionen wichtig?
Ja, wenn es um Lebensmittel geht ganz bestimmt.

Und welches Produkt müsste man im Berner Oberland noch erfinden? Oder wieder fördern?
Beim Fleisch sind qualitative Verbesserungen sehr wohl noch möglich. Ich meine damit nicht unsere Würste und unseren Schinken, die sind exzellent. Aber ich vermisse wirklich gutes Rinds- und Kalbfleisch aus der Region. Die Tiere werden

rapport direct avec d'autres produits. Je suis aussi parti sur le lac à quatre heures du matin en accompagnant un pêcheur professionnel. J'ai jeté mes filets, les ai retirés et vendu la pêche au marché. La tradition liée aux produits me fascine. Nos ancêtres ont toujours fabriqué du fromage, ont pratiqué la chasse et la pêche dans le lac. Voici nos vraies racines.

Les traditions, sont-elles importantes pour vous?
Oui absolument, s'il s'agit d'aliments.

Et quel produit devrait-on encore inventer ou redécouvrir dans l'Oberland bernois?
Concernant la viande, des améliorations qualitatives sont encore possibles. Je ne pense pas aux saucisses et aux jambons. Ils sont d'excellente qualité. Mais parmi la production régionale, il manque de la viande de bœuf et de veau de réellement bonne qualité. Généralement, les bêtes sont abattues trop tôt,

fascinates me: our ancestors already used to make cheese; there has always been hunting and fish from the lake. This is where our roots lie.

Are traditions important for you?
Yes, when it comes to food, definitely.

And which product still needs to be invented in the Bernese Oberland? Or promoted again?
With meat there is a real possibility for improvements. By that I don't mean our sausages and our ham, they are excellent. But I really miss good beef and veal from the region. The cattle often get slaughtered too early, processed, vacuumed – they don't leave enough time for the meat to ripen. Also the vegetable growers should be more imaginative. Why don't they grow old kinds of vegetables more often? There's also a demand for seasonal specialities, for example

oft zu früh geschlachtet, verarbeitet, vakuumiert – man gibt dem Fleisch zuwenig Zeit zum Reifen. Auch bei den Gemüsebauern wünsche ich mir mehr Innovation. Warum bauen sie nicht vermehrt alte Sorten an? Auch saisonale Spezialitäten sind gefragt, zum Beispiel beim Salat warte ich schon lange auf eine gute Wasserkresse.

Sie haben ein Produkt «kreiert» oder zumindest am Thunersee eingeführt: Die schwarze Baumnuss. Wie kommt die an?
Sehr gut, sie wurde jetzt sogar in die Liste der «Besten Produkte aus dem Berner Oberland» aufgenommen. Zurzeit wässere ich gerade etwa 60 Kilogramm grüne Baumnüsse unten im Brunnen und lege sie dann in Gläser ein – bis im Dezember sind sie dann schön würzig, weich und schwarz.

dépecées et la viande mise sous vide. La viande n'a pas le temps d'arriver à maturité. Je souhaiterais également davantage d'innovation chez les horticulteurs. Pourquoi n'augmentent-ils pas les cultures d'anciennes variétés? Des spécialités de saison sont également recherchées. Pour la salade, il y a longtemps que j'attends un bon cresson amphibie.

Vous avez vous-même déjà «créé» un nouveau produit, ou du moins l'avez-vous introduit sur les bords du lac de Thoune: la noix noire. Quel accueil lui a-t-on réservé?
Excellent accueil! Elle s'est même retrouvée sur la liste des «Meilleurs produits de l'Oberland bernois». Actuellement j'ai 60 kg de noix vertes qui trempent dans la fontaine. Je les mets ensuite en verres. En décembre elles seront tendres, noires et d'un arôme épicé parfait.

with salads, I have been waiting a long time for good watercress.

You yourself have also created a product or at least have introduced it in the Lake Thun area: The black walnut. How is it succeeding?
Very good, it has even been taken up in the list of «Best products of the Bernese Oberland». At the moment I am just soaking about 60 kilograms of green walnuts down in the fountain and shall then keep them in preserving jars until they will be nice and tasty, soft and black in December.

Are there any other local products you preserve?
Yes, during the summer season I am very busy: I soak sour cherries (St. Lucie cherries) and use them as «Griottes» later on. And I produce around 60 kilograms of quince mustard and kilos of strawberry jam per season. Our hotel guests can taste this jam for breakfast. That way they get to know our

Gibt es noch andere Produkte, die sie haltbar machen?
Ja, im Sommer bin ich sehr beschäftigt: Ich lege Weichselkirschen ein, um sie später als Griottes zu verwenden. Und ich produziere pro Saison rund 60 kg Quittensenf und kiloweise Erdbeerkonfitüre. Die Konfitüre bekommen unsere Hotelgäste zum Frühstück. So lernen sie unsere regionalen Produkte direkt und auf sympathische Art kennen. Bei uns bekommt man auch selber eingemachte einheimische Pfirsiche und Pflaumen und zudem viele Sirups aus hiesigen Früchten.

Das Kandertal macht mit seiner innovativen Abwärmenutzung für die Störzucht von sich reden. Was halten Sie vom Berner Oberländer Kaviar?
Grundsätzlich finde ich die Produktion von Kaviar auf diese Art sehr gut. Die Zucht trägt zudem den Namen des Berner Oberlandes in alle Welt.

Y a-t-il d'autres produits locaux que vous mettez en conserve?
Oui. Durant la saison d'été, je ne sais plus où donner de la tête. Je mets macérer des griottes et, par saison, je produis environ 60 kg de moutarde de coing et beaucoup de confiture de fraise. Cette confiture est destinée au petit déjeuner de nos hôtes. Ils découvrent ainsi nos produits régionaux de manière sympathique. En outre, nous vendons des pêches et des prunes d'ici mises en conserve par nos soins et une grande quantité de sirops différents faits avec des fruits de la région.

Dans la vallée de la Kander, un projet innovateur de récupération de chaleur au profit de l'élevage d'esturgeons fait des vagues. Que pensez-vous de la production de caviar dans l'Oberland bernois?
En principe, je trouve que cette méthode de production de caviar est une bonne chose. En outre, elle diffuse le nom de l'Oberland bernois dans le monde entier.

regional products directly and in a nice way. We also serve homemade local peaches, sugarplums and many types of syrup from local fruit.

The Kandertal is making a name for itself for their innovative use of waste heat utilisation for the breeding of sturgeon. What do you think of Bernese Oberland caviar?
Basically I find the production of caviar in this way very good. In addition this breed propagates the name of the Bernese Oberland all over the world.

In 2006 you got a «Carrier for the future» prize for your extraordinary apprenticeship training. A question to the expert: do the Bernese Oberland cook apprentices learn enough about the products of the region?
No, there is still not enough knowledge being passed on by far. Not only about the region, but also about products in general. What kind of fish

2006 haben Sie einen «Zukunftsträgerpreis» für Ihre außerge-
wöhnliche Lehrlingsausbildung
erhalten. Frage an den
Fachmann: Lernen die Berner
Oberländer Kochlehrlinge
genügend über die Produkte
der Region?
Nein, da wird noch viel zu wenig
Wissen vermittelt. Nicht nur
zur Region, sondern allgemein zu
Produkten. Was ist das für
ein Fisch? Welche Eigenschaften
hat er? Wenn ich einen
Lehrling mit auf die Alp nehme
und ihm zeige, wie viel
Mühe man sich dort für einen
guten Käse gibt, dann
«verhaut» er mir in der Küche
keinen Käselaib mehr. Und
wenn er ein «Gemschi» oben
am Berg sieht, hat er am Produkt
mehr Freude. Wenn in einer
Küche nur noch abgepackte
Ware verarbeitet wird, kann der
Lehrling das ursprüngliche
Produkt kaum mehr kennen-
lernen. Deshalb pflege ich
auch meinen Kräutergarten mit
42 Kräutern – das gehört zur
Ausbildung.

En 2006 on vous a décerné
le «Zukunftsträgerpreis» pour
votre formation extraordi-
naire des apprentis. Question
au spécialiste: les apprentis
cuisiniers de l'Oberland bernois
apprennent-ils assez sur les
produits de la région?
Non, beaucoup trop peu de
notre savoir est transmis. Pas
seulement sur la région,
mais également sur les produits.
Qu'est-ce que c'est comme
poisson? Et quelles propriétés
a-t-il? Dès que j'emmène
un apprenti à l'alpage pour lui
montrer combien de travail
exige la fabrication d'un fromage,
il ne me «bousillera» plus
jamais une meule de fromage.
Et s'il a vu un chamois dans
la montagne, il aura plus
de plaisir avec le produit. Si dans
une cuisine on n'utilise plus
que des produits emballés,
les apprentis ne connaîtront plus
le produit original. Pour cette
raison, je cultive dans mon propre
jardin des fines herbes avec
42 plantes différentes. Chez moi,
cela fait partie de la formation.

is this? What characteristics does
it have? As soon as I take
an apprentice up to the alp and
show him how much efforts
being put into making good
cheese, he won't spoil a wheel of
cheese in the kitchen again.
And when he sees a pretty
chamois standing on a rock, he
will also enjoy the product
more. If only pre-packed goods
come into the kitchen, the
apprentice can hardly get to
know the original product
anymore. This is why I also keep
a herb garden with totally
42 herbs – that is included in my
training.

EIN LOBLIED AUF DEN «BRIENZLIG»

LOUANGE AU «BRIENZLIG»

A PRAISE FOR THE «BRIENZLIG»

HANSPETER KAUFMANN, ISELTWALD

Jeden Tag um 4 Uhr, im Morgengrauen, macht Hanspeter Kaufmann sein Motorboot startklar. Leise tuckernd fährt er hinaus auf den Brienzersee, holt seine ausgelegten Netze ein und hievt die Fische in sein Boot. Gegen 7 Uhr ist er zurück im kleinen Hafen. Dann schuppt er den Fang, nimmt die Innereien aus, macht die Fische bereit für seine Kunden. Das sind vor allem Hotels und Restaurants in der Umgebung, aber auch Privatleute kommen gegen Mittag gerne bei Kaufmanns vorbei und kaufen ihren Fisch praktisch direkt ab Boot.

Hanspeter Kaufmann ist Berufsfischer, einer der letzten am Brienzersee. «Vor wenigen Jahren waren wir noch zu fünft, jetzt sind wir noch zu zweit», sagt er. Der Fischbestand sei drastisch zurückgegangen. Und die Fische werden immer kleiner. «Früher brachte eine Felche etwa 250 g auf die Waage, heute sind es noch rund 100 g.»

Tous les jours, à quatre heures du matin, Hanspeter Kaufmann prépare son canot à moteur. A petite vitesse, il s'en va sur le lac pour ramener ses filets posés la veille et prendre ses poissons. Vers sept heures, il est de retour au port. Il écaille ses poissons, les vide et les prépare pour ses clients. Qui sont surtout les restaurants et hôtels de la région, mais aussi des particuliers qui viennent avant midi acheter leur poisson chez Kaufmann, au port.

Hanspeter Kaufmann est l'un des derniers pêcheurs professionnels du lac de Brienz. «Il y a quelques années, nous étions encore cinq, maintenant nous ne sommes plus que deux pêcheurs» déclare-t-il. Le nombre de poissons diminue sensiblement et ils sont de plus en plus petits. «Alors que nos féras pesaient bien 250 g il y a quelques années en arrière, ils sont à 100 g de nos jours». Ceci provient de leur alimentation. Pour des raisons écologiques,

Every day at four o'clock at dawn, Hanspeter Kaufmann makes his motorboat ready for take off. Quietly chugging along, he goes out on Lake Brienz, pulls in his fishing-nets and lifts the fish on board. Towards seven o'clock he is back in the small harbour. Then he scales the catch, removes the intestines and gets the fish ready for his clientele. These are mainly the hotels and the restaurants in the vicinity. Private customers usually like to come towards midday to the Kaufmanns and buy their fish, virtually straight from the boat.

Hanspeter Kaufmann is a professional fisherman, one of the last at Lake Brienz. «A few years ago we were still five of us, now there are only two left. The fishing resource is diminishing drastically,» he says. «And the fish are getting smaller and smaller. Whitefish used to way about 250 grams per piece,

Der Grund für die Veränderung liegt beim Futter: Seitdem das Wasser aus Umweltschutzgründen nicht mehr ungeklärt in den See fließt, also weniger Phosphate ins Wasser gelangen, wächst im See kaum mehr Plankton. Und deshalb haben die Fische weniger zu fressen. Fast ein wenig mitleidig erzählt der Fischer: «Viele Fische, die ich ausnehme, haben ja überhaupt nichts mehr im Magen».

Trotz erschwerter Umstände bleibt Hanspeter Kaufmann dem Beruf treu und fischt weiter, wie es schon sein Vater tat. Er ist in Iseltwald, dem malerischen Dorf am Brienzersee, das so heil und schön wie auf einer Postkarte wirkt, aufgewachsen, und hier sind auch seine beiden Söhne groß geworden. Sie zeigten aber wenig Interesse, die Fischerei einst zu übernehmen, «eine Familie kann ja heute nicht mehr davon leben», brummt Kaufmann. Und führt als Beispiel ein paar Zahlen an: Ein Fischer müsse für

les eaux sont purifiées et beaucoup moins de phosphates arrivent dans le lac. Il en résulte une diminution du plancton, base de nourriture pour les poissons. Bien des poissons violés ont l'estomac pratiquement vide.

Malgré ces difficultés, Hanspeter Kaufmann continue d'exercer le métier que son père pratiquait déjà. Avec sa famille, il habite Iseltwald, ce village pittoresque sur la rive du lac, si paisible et joli comme sur une carte postale. Ses deux fils ont montré peu d'intérêt pour la pêche qui ne nourrit plus son homme. Pour avoir un revenu décent, un pêcheur doit pouvoir vendre six tonnes de poisson par année. L'année passée, lui et son collègue ont vendu 4 à 5 tonnes à eux deux. «Beaucoup de labeur pour peu de poids», se plaint Kaufmann.

today they are only around 100 grams». The reason for this change lies in the nourishment. Since no more untreated water flows into the lake for ecological reasons, and less phosphate gets into the water, hardly anymore plankton grows in the lake. Therefore fish have less to eat. With almost a bit of compassion the fisherman says: «Many fish I disembowel have nothing left in their stomach».

Despite these difficult circumstances, Hanspeter Kaufmann remains faithful to his profession and keeps on fishing, just like his father used to. He grew up in Iseltwald, the picturesque village on Lake Brienz, which is as quaint and pretty as it looks on a postcard, and his two sons grew up here as well. Unfortunately they show little interest in taking over the fishing business, «a family can't survive on it these days», Kaufmann complains. And demonstrates this with a few

ein anständiges Einkommen 6 Tonnen Fisch im Jahr verkaufen können, letztes Jahr hätten die beiden Brienzersee-Fischer aber nur 4 bis 5 Tonnen gefangen – zusammen. «Viel Büez und kein Gewicht», kommentiert er.

Je nach Saison legt Kaufmann die Netze tiefer oder höher. Wenn er den Brienzlig fischen will, muss er die Netze tief in den See versenken, etwas weiter oben schwimmen die Felchen, noch etwas weiter oben lebt der Egli. Manchmal verfängt sich auch ein Saibling im Netz oder eine Trüsche. «Das ist ein richtiger Räuber», sagt Kaufmann, die liebt er nicht, denn die Trüsche frisst dem Brienzlig und dem Felchen den Laich weg. Dann gibt es später noch weniger Fische im See. Deshalb freut er sich diebisch, wenn er eine Trüsche im Netz hat, welche bei Fischliebhabern als Delikatesse gilt und sich daher gut verkauft.

Selon la saison, il pose ses filets à des hauteurs différentes. Pour pêcher le Brienzlig, il doit poser ses filets à grande profondeur. Les féras se trouvent déjà plus haut et les perches presque en surface. Parfois un saumon ou une lote se trouvent pris dans les filets. La lote est un vrai brigand des eaux. Elle dévore le frai des Brienzlig et des féras, lesquels diminuent d'autant plus. Kaufmann se réjouit donc chaque fois qu'il prend une lote. En outre, elle se vend très bien car très recherchée par les amateurs de poisson.

En revanche, son poisson préféré, le Brienzlig, ne se vend pas très bien. Cette variété de féra portant le nom du lac ne se retrouve que dans les eaux du lac de Brienz. Traditionnellement, on consomme ces petits poissons de 30 à 40 g tout entiers, avec la tête et la queue. C'est ainsi qu'on les sert encore aujourd'hui à Iseltwald. «Bien des personnes sont effrayées en

numbers: A fisherman would need to sell around six tons of fish per year to have a decent income, last year both the two last Lake Brienz fishermen only brought in four to five tons together. «Hard work and no weight», he comments.

Depending on the season, Kaufmann lays his nets deeper or higher. If he wants to fish the «Brienzlig», he has to drop the nets deep down in the lake, the whitefish swim a bit further up and the perch are the highest. Sometimes a char goes into the net, or a burbot. «That is a real thief», says Kaufmann, he doesn't like those, because the burbot eats the spawn of the «Brienzlig» and the whitefish, reducing the fish in the lake even more. That's why he is thrilled when a burbot, which is a delicacy with fish lovers and therefore sells for a good price, is in his net.

Weniger gut verkauft sich, so klagt Hanspeter Kaufmann, sein «Lieblingsfisch», der Brienzlig. Dieser heißt nicht zufällig ähnlich wie der Brienzersee: Diese kleinwüchsige Felchenart ist eine Spezialität, die es einzig hier gibt. Traditionellerweise isst man die Fischlein, die nur 35 bis 40 Gramm wiegen, ganz, also mit Kopf und allem Drum und Dran. So werden sie in den Restaurants in Iseltwald auch heute noch serviert – «aber einige Gäste erschrecken ziemlich, wenn sie eine Platte mit ganzen Fischen vor sich haben. Das sind die Leute heutzutage nicht mehr gewohnt», erzählt Kaufmann. Deshalb verarbeitet er den Brienzlig auch oft als «Flügel-filet», also aufgeschnitten und ohne Kopf. Hauptsache, die Kunden essen einheimischen Fisch. Das ist ihm wichtig, dafür setzt er sich ein. Und zeigt wenig Verständnis für Kunden, die nur noch billigen Fisch aus Ostasien, «Pangasius und so Zeugs», kaufen wollen.

voyant des poissons entiers», dit Kaufmann. Les clients ne sont plus habitués. Raison pour laquelle ce poisson est souvent servi en papillon, sans la tête. L'essentiel, c'est que les clients consomment du poisson local. C'est ce qui lui importe. Il ne comprend pas ceux qui consomment uniquement du poisson bon marché, tels les Pangasius et autres, importés d'Asie. Il vante son Brienzlig: «Il est 100 % naturel, il n'y a rien à faire pour l'élevage, car il vit uniquement dans l'eau très froide, comme le lac de Brienz, un lac de montagne». Et de chanter la beauté du paysage. Kaufmann ne peut pas s'imaginer vivre ailleurs, même si le poisson de vient plus petit et diminue.

Not as well, Hanspeter Kaufmann complains, does the «Brienzlig», his favourite fish, sell. The similar name to the lake is no coin-cidence: This small type of whitefish is a speciality, which exists here exclusively. Traditionally one eats the little fish, which only weighs about 35 to 40 grams, with head and all. It is still served this way today in the restaurants of Iseltwald – «but some guests are a bit shocked when they see a plate full of whole fish. People are not used to this these days», he says. This is why he slices them open, removing the head and sells them as «filet wings». The main thing is that guests eat local fish. That is what's important to him and what he stands for. He shows little understanding for guests who only ask for cheap fish from Eastern Asia, such as shark catfish and such. He highly estimates his «Brienzlig»: «With it, all is natural; one cannot breed it, because it can only survive

Da lobt er sich denn auch seinen Brienzlig: «An dem ist noch alles natürlich, den kann man nicht züchten, weil der nur im sehr kalten Wasser lebt». Kalt ist der Brienzersee, kalt wie ein Bergsee. Und schön. So schön, dass sich Hanspeter Kaufmann nicht vorstellen kann und auch nicht vorstellen will, von hier wegzugehen. Er bleibt Fischer, auch wenn die Fische kleiner und weniger werden.

in very cold water». Lake Brienz is cold, cold as a mountain lake. And beautiful. So beautiful, that Hanspeter Kaufmann cannot imagine, and doesn't even want to imagine, ever moving away from there. He will remain a fisherman, even if the fish become less and smaller.

«BRIENZLIG»-ROLLMOPS

APERITIF/VORSPEISE

8 Brienzlig (Felchenart)
1 Freilandgurke
2 rote Zwiebeln
8 Bundkarotten
8 Zweiglein Fenchelkraut
Fleur de Sel

Marinade

2 dl/200 ml Apfelessig
½ dl/50 ml spritziger Weißwein
1¼ dl/125 ml Wasser
1 EL Zucker, 8 schwarze Pfeffer-
körner, 2 frische Lorbeerblätter
½ EL Senfkörner

1. Brienzlig am Bauch
aufschneiden, entgräten, Filets
parieren. Gurke schälen,
längs halbieren und entkernen,
Hälften in 6 cm lange Stäbchen
schneiden. Zwiebeln schälen,
Spalten schneiden. Bundkarotten
schälen, längs halbieren.
2. Gurken, Zwiebeln sowie
Fenchelkraut in je ein Fisch-
filet einwickeln, mit Zahnstocher
fixieren.
3. Marinade aufkochen und
kurz ziehen lassen.
4. Rollmops, restliche
Zwiebeln und Karotten dicht in
Gläser mit Schraubverschluss
füllen. Erkaltete Marinade
darübergießen. Der Fisch soll mit
der Marinade gut bedeckt
sein. Im Kühlschrank mindestens
1 Woche ziehen lassen.

Tipp Dazu Holzofenbrot
und mit geriebenem Apfel aro-
matisiertem Sauerrahm servieren.

ROLLMOPS «BRIENZLIG»

APÉRITIF/ENTRÉE

8 Brienzlig (genre de féra)
1 concombre, 2 oignons rouges
8 carottes fraîches (botte)
8 branches de verdure de fenouil
fleur de sel

Marinade

2 dl de vinaigre de pomme
½ dl de vin blanc sec
1¼ dl d'eau, 1 cs de sucre
8 grains de poivre noir
2 feuilles de laurier fraîches
½ cs de graines de moutarde

1. Ouvrir le ventre des
Brienzlig et retirer les arêtes; bien
parer les filets. Peler le concombre, le couper en deux dans
le sens de la longueur, puis
en bâtonnets de 6 cm de long.
Couper les oignons en quartiers.
Peler les carottes, les couper
en deux.
2. Enrouler les concombres,
les oignons et la verdure de
fenouil dans les filets et les fixer
avec des cure-dents.
3. Porter la marinade à
ébullition et laisser tirer un peu.
4. En alternant avec le reste
des oignons et des carottes,
placer les rollmops dans un bocal
à conserve. Ajouter la marinade refroidie. Les filets doivent
être bien couverts de marinade.
Laisser tirer au frigo une
bonne semaine.

Conseil Servir avec du pain
cuit au feu de bois et de la
crème acidulée aromatisée avec
une pomme râpée.

«BRIENZLIG» PICKLED HERRING

STARTER

8 Brienzlig (type whitefish)
1 organic cucumber
2 red onions, 8 carrots
8 stalks of fennel leaves
fleur de sel (sea salt)

Marinade

200 ml apple vinegar
50 ml tangy white wine
125 ml water
1 tbsp sugar
8 black peppercorns
2 fresh bay leaves
½ tbsp mustard seeds

1. Cut open stomach of
the Brienzlig and bone, trim and
clean the filets. Peel cucumber,
cut lengthwise in half and
remove pips, cut into sticks of
6 cm. Cut onions in wedges. Peel
carrots and halve lengthwise.
2. Wrap cucumbers,
onions and fennel leaves into
each fish filet, fix with tooth-
pick.
3. Boil marinade and let
steep for a while.
4. Fill tightly into screw
topped glass jars alternating
pickled herring with remaining
onions and carrots. Fill with
cool marinade so that the fish
filets are well covered. Let steep
in refrigerator for at least one
week.

Tip Serve with dark bread
baked in wood-stove and
sour cream, mixed with a grated
apple.

TATAR VON GERÄUCHERTER «GRABENMÜHLE»-FORELLE MIT KNUSPRIGEM ROGGENBROT

VORSPEISE

4 geräucherte Forellenfilets
1 EL Olivenöl extra nativ
1 Schalotte, fein gehackt
3 EL Sauerrahm/saure Sahne
wenig Zitronensaft
1 TL fein geriebener Meerrettich
Fleur de Sel
Pfeffer

8 hauchdünne Scheiben
Roggenbrot
2 EL Olivenöl extra nativ
Salz

Kerbel
Radieschen, in zündholzdicken
Stäbchen

1. Forellenfilets in kleine
Würfel schneiden, dann mit
Olivenöl, Schalotten, Sauerrahm,
Zitronensaft und Meerrettich
mischen, abschmecken mit Salz
und Pfeffer.
2. Backofen auf 180 °C
vorheizen.
3. Roggenbrotscheiben
auf ein Blech verteilen, mit
Olivenöl beträufeln, mit wenig
Salz würzen. Im Ofen bei
180 °C etwa 4 Minuten knusprig
backen.
4. Forellentatar auf den
knusprigen Roggenbrotscheiben
anrichten, mit zerpflücktem
Kerbel und Radieschen garnieren.
Variante Geräucherte
Forelle durch geräucherten Lachs
ersetzen.

TARTARE DE TRUITE FUMÉE «GRABENMÜHLE» AVEC PAIN DE SEIGLE CROUSTILLANT

ENTRÉE

4 filets de truite fumés
1 cs d'huile d'olive
1 échalote finement hachée
3 cs de crème acidulée
un peu de jus de citron
1 cc de raifort finement râpé
fleur de sel
poivre

8 tranches très minces
de pain de seigle
2 cs d'huile d'olive
sel

cerfeuil
radis coupés en allumettes

1. Couper les filets de
truite en petits dés, les mélanger
avec huile d'olive, échalote,
crème acidulée, jus de citron et
raifort. Saler et poivrer.
2. Préchauffer le four à
180 °C.
3. Déposer les tranches
de pain de seigle sur une plaque,
les napper d'huile d'olive et
saler légèrement. Les griller au
four, 4 minutes à 180 °C.
4. Servir le tartare de truite
avec les tranches de pain et
décorer avec du cerfeuil effeuillé
et des radis roses.
Variante Remplacer la truite
fumée par du saumon fumé.

TATAR SMOKED «GRABENMÜHLE»-TROUT WITH CRISPY RYE BREAD

STARTER

4 smoked filets trout
1 tbsp olive oil
1 small shallot, finely chopped
3 tbsp sour cream
a dash lemon juice
1 tsp finely grated horseradish
fleur de sel (sea salt)
pepper

8 very thin slices rye bread
2 tbsp olive oil
salt

chervil
radishes cut in match thin sticks

1. Cut trout filets into small
cubes, mix with olive oil,
shallots, sour cream, lemon juice
and horseradish, season
with salt and pepper.
2. Preheat oven to 180 °C.
3. Place rye bread slices
on a baking-tin, sprinkle with the
olive oil, season with a little
salt. Bake in oven at 180 °C for
4 minutes until crispy.
4. Arrange trout Tatar
with the crispy rye bread slices on
plates, garnish with the chervil
leaves and radishes.
Variation Replace smoked
trout by smoked salmon.

GERÄUCHERTER «FRUTIGER» STÖR MIT BRÜSSELER-ENDIVIE-APFEL-SALAT UND SCHWARZER NUSS

VORSPEISE

200 g geräucherter Stör,
in feinen Scheiben
je 2 kleine weiße und rote
Brüsseler Endivien, 1 kleiner roter
Apfel,1 kleine rote Zwiebel
100 g Sauerrahm/saure Sahne
2 EL Apfelessig, Salz, Pfeffer
2 EL kalt gepresstes
Baumnussöl/Walnussöl
einige geröstete Baumnuss-/
Walnusskerne, gehackt
8 feine Scheiben eingelegte
schwarze Baum-/Walnüsse
kalt gepresstes Nussöl

1. Hüllblätter der Brüsseler Endivie entfernen, längs achteln. Apfel mit Schale vierteln und entkernen, Viertel in feine Spalten schneiden. Zwiebel in feine Ringe schneiden. Stör zu vier Rosetten arrangieren.

2. Sauerrahm, Essig und Baumnussöl verrühren, mit Salz und Pfeffer abschmecken, mit Äpfeln, Zwiebeln und Nüssen vermengen.

3. Brüsseler Endivie kreisförmig in Schalen anrichten, den Apfelsalat in die Mitte geben, Stör-Rosetten daraufsetzen, mit schwarzer Nuss garnieren, mit Baumnussöl beträufeln.

Variante Den Stör durch geräucherte Forelle oder geräucherten Lachs ersetzen.

ESTURGEON FUMÉ DE «FRUTIGEN» SUR SALADE D'ENDIVES ET DE POMMES AVEC NOIX NOIRES

ENTRÉE

200 g d'esturgeons fumés,
en fines tranches
2 endives belges rouges
2 endives belges blanches
1 petite pomme rouge
1 petit oignon rouge
100 g de crème acidulée
2 cs de vinaigre de pommes
2 cs d'huile de noix pressée à
froid, sel, poivre noir, quelques
cerneaux de noix grillés, hachés
8 tranches de noix noires
marinées
huile de noix pressée à froid

1. Retirer les feuilles extérieures des endives et les couper en huit, dans le sens de la longueur. Couper la pomme en quartiers et retirer le trognon, débiter en lamelles. Couper l'oignon en fines rondelles. Former quatre rosettes avec les filets de poisson.

2. Préparer une sauce avec a crème acidulée, le vinaigre et l'huile de noix. Saler, poivrer et mélanger avec les pommes, les oignons et les noix.

3. Disposer les endives belges en rayons sur les assiettes, déposer une portion de salade de pomme au centre. Y déposer les rosettes de poisson, décorer avec les noix noires. Asperger d'un peu d'huile de noix.

Variante Remplacer l'esturgeon par de la truite fumée ou du saumon fumé.

SMOKED «FRUTIGER» STURGEON WITH ENDIVE AND APPLE SALAD WITH BLACK WALNUT

STARTER

200 g smoked sturgeon,
in thin slices
2 small white and red endives
each, 1 small red apple
1 small red onion
100 g sour cream
2 tbsp apple vinegar
2 tbsp cold pressed walnut oil
salt, freshly ground pepper
a few roasted walnuts, chopped
8 thin slices preserved
black walnuts
cold-pressed walnut oil

1. Remove outer leaves of the endive, cut lengthwise into eight pieces. Cut the apple into four pieces, leave on skin, and remove core. Cut onion into thin rings. Form four rosettes out of smoked fish slices.

2. Mix a sauce out of sour cream, apple vinegar and walnut oil, season to taste with salt and pepper, mix in the apples, onions and walnuts.

3. Arrange endive in a circle in bowls, place apple salad in the middle, place the sturgeon rosettes on it, garnish with black nut and sprinkle with walnut oil.

Variation Sturgeon can be replaced with smoked trout or smoked salmon.

THUNERSEE-FELCHEN-FILET MIT MEERRETTICHBUTTER ÜBERBACKEN, MIT LINSEN

MAHLZEIT

8 Felchenfilets mit Haut, je 60 g
je 1 TL Olivenöl und Butter

50 g weiche Butter, ½ Eigelb
1 EL grobkörniger Senf
1 TL gehackte Petersilie
1 TL Meerrettichpaste
2 TL Mie de pain

1 EL Olivenöl
1 Schalotte, fein gehackt
1 Knoblauchzehe, fein gehackt
150 g grüne Linsen,
über Nacht eingeweicht
4 dl/400 ml Geflügelbrühe
½ dl/50 ml Rahm/Sahne
1 EL grobkörniger Senf
Salz, Pfeffer

1. Für die Meerrettich-kruste Butter mit Schneebesen luftig aufschlagen, übrige Zutaten unterrühren, in eine Alufolie einwickeln, kühl stellen.
2. Grüne Linsen abgießen. Schalotten und Knoblauch im Öl andünsten, Linsen und Brühe zugeben, aufkochen, bei mittlerer Hitze bissfest garen. Vor dem Servieren erhitzen, abschmecken mit Senf, Salz und Pfeffer, Schlagrahm unter-ziehen.
3. Felchenfilets in Öl-Butter-Mischung auf Hautseite, dann auf zweiter Seite kurz braten. In die Gratinform legen. Mit Scheiben von Meer-rettichbutter belegen. Im Ofen auf Grillstufe überbacken..

FILETS DE FÉRA DE THOUNE AU BEURRE AU RAIFORT, AVEC LENTILLES

REPAS

8 filets de féra avec la peau,
60 g chacun
1 cc de beurre et d'huile d'olive

50 g de beurre ramolli, ½ jaune
d'œuf, 1 cs de moutarde à
l'ancienne, 1 cc de persil haché
1 cc de pâte de raifort
2 cc de mie de pain congelée

1 cs d'huile d'olive
1 échalote finement hachée
1 gousse d'ail finement hachée
150 g de lentilles vertes
4 dl de bouillon de volaille
½ dl de crème entière
1 cs de moutarde à l'ancienne

1. Pour la croûte battre le beurre en mousse, incorporer les autres ingrédients, emballer dans l'aluen et mettre au réfrigé-rateur.
2. Mettre tremper les len-tilles durant la nuit. Verser l'eau. Faire revenir l'échalote et l'ail dans l'huile, ajouter les lentilles et le bouillon et porter à ébullition. Cuire les lentilles à feu moyen en les gardant un peu fermes. Avant de les servir, les réchauffer, ajouter moutarde, sel et poivre, rectifier l'assaisonnement et incorporer la crème fouettée.
3. Frire brièvement les filets dans le mélange huile d'olive/ beurre, d'abord côté peau, puis de l'autre. Les déposer dans un plat et y placer une rondelle de beurre. Gratiner au four.

LAKE THUN WHITEFISH FILETS WITH HORSERADISH BUTTER GRATIN, ON LENTILS

MAIN MEAL

8 filets of whitefish with their
skin, 60 g each
1 tsp olive oil and butter each

50 g soft butter, ½ egg yolk
1 tbsp coarse mustard
1 tsp chopped parsley
1 tsp horseradish paste
2 tsp mie de pain (breadcrumbs)

1 tbsp olive oil
1 shallot, finely chopped
1 clover of garlic, finely chopped
150 g green lentils,
soaked overnight
400 ml chicken broth
50 ml cream, 1 tbsp coarse
mustard, salt, pepper

1. Whisk up butter, stir in the other ingredients, carefully wrap in an aluminium foil, put in a cool place.
2. Pour away soak water of the lentils. Fry the shallots and garlic in oil, add lentils and chicken broth, bring to boil until medium soft. Before serving, heat once again, season to taste with mustard, salt and pepper, fold in whipped cream.
3. Fry whitefish filets shortly in the olive oil and butter mixture, first on the skin side, then on the other side. Place in a baking dish. Cover with dabs of horseradish butter. Grill in oven for a short while.

TEMPERIERTE «BLAUSEE»-LACHS-FORELLE MIT SCHMOR-TOMATE UND KARTOFFELSTOCK

MAHLZEIT

4 Lachsforellenfilets, je 100 g
abgezupfte Thymianblättchen
2 EL Olivenöl
1 Strauchtomate
1 Knoblauchzehe
1 TL Olivenöl
300 g mehlig kochende
Kartoffeln, geschält, gewürfelt
2 EL Butter, 2 EL Schlagrahm
Kräuter für die Garnitur
Olivenöl

1. Tomate ausstechen in
vier gleich dicke Scheiben
schneiden, auf Teller legen, mit
Salz und Pfeffer würzen,
mit Olivenöl beträufeln, im vorgeheizten Ofen bei 140 °C
20 Minuten schmoren. Im Ofen
stehen lassen.
2. Ofen auf 85 °C schalten.
3. Fischfilets mit Thymianblättchen bestreuen, mit Salz
und Pfeffer würzen, mit Olivenöl
beträufeln. Im Ofen bei 85 °C
20 Minuten temperieren.
4. Kartoffeln über Dampf
weichgaren, heiß passieren,
Butter und Schlagrahm unterrühren, würzen mit Salz/Pfeffer.
5. Kartoffelstock in Spritz-
beutel mit großer, runder
Tülle füllen, Rondellen auf Teller
spritzen, Tomate und Fisch
darauflegen, restlichen Kartoffelstock daraufspritzen, mit
Kräutern garnieren, beträufeln
mit Olivenöl.

TRUITE SAUMONÉE TIÈDE «BLAUSEE», TOMATE ET POMMES MOUSSELINE

REPAS

4 filets de truite saumonée,
100 g chacun, thym effeuillé
2 cs d'huile d'olive
1 tomate
1 gousse d'ail, 1 cc d'huile d'olive
300 g de pommes de terre
farineuses, 2 cs de beurre,
2 cs de crème entière, fines
herbes pour décorer, huile d'olive

1. Couper la tomate en
4 tranches de même épaisseur.
Déposer les tranches sur
une assiette, saler et poivrer, les
napper d'huile d'olive et les
faire cuire au four, 20 minutes
à 140 °C. Les garder dans
le four.
2. Réduire la température
du four à 85 °C.
3. Sur une assiette, parsemer
les filets de truite de feuilles de
thym, saler, poivrer et asperger
d'huile d'olive. Les réchauffer au
four, 20 minutes à 85 °C.
4. Peler les pommes de
terre, les débiter en cubes, bien
les cuire à la vapeur. Les passer
chaudes, incorporer le beurre
et la crème, saler et poivrer.
5. Verser la purée de
pommes de terre dans un sac à
douille avec un grand embout
rond, presser des rondelles sur les
assiettes. Déposer les tomates
sur la purée, les filets de poisson
sur la tomate et décorer avec
le reste de la purée et les fines
herbes. Napper d'huile d'olive.

TEPID SALMON «BLAUSEE»-TROUT WITH BRAISED TOMATO AND MASHED POTATOES

MAIN DISH

4 filets salmon trout, 100 g each
thyme leaves,
plucked off their twig
2 tbsp olive oil
1 cluster tomato
1 clover garlic
1 tsp olive oil
300 g floury potatoes
2 tbsp butter
2 tbsp whipped cream
herbs for garnish, olive oil

1. Cut tomato in 4 equal
sized slices, season with
salt and pepper, sprinkle with
olive oil and simmer in preheated
oven at 140 °C for 20 minutes.
Let stand in oven.
2. Reduce temperature
of oven to 85 °C.
3. Sprinkle fish filets with
thyme leaves and season with salt
and pepper, sprinkle with olive
oil. Braise in oven at 85 °C
for 20 minutes.
4. Peal potatoes, dice, cook
until soft, mash when still hot,
stir in butter and whipped cream,
season with salt and pepper.
5. Fill mashed potatoes into
a piping bag and squeeze
small balls on the plates, place
tomatoes and salmon trout over
them, squeeze rest mashed
potatoes over them, garnish with
herbs and sprinkle with olive
oil.

GEBACKENE «BRIENZLIG»

MAHLZEIT

16 Zwergfelchen

Marinade
2 dl/200 ml Milch
wenig Worcestersauce
wenig Zitronensaft
2 EL fein geschnittener
Zitronenthymian

Mehl zum Wenden

Frittieröl

1. Zwergfelchen am Bauch
einschneiden, Innereien und
Gräte herausnehmen, Fische
innen und außen waschen, mit
Haushaltpapier trocken
tupfen.
2. Zutaten für die Marinade
verrühren, Zwergfelchen in
der Marinade etwa 6 Stunden
marinieren.
3. Zwergfelchen mit Haus-
haltpapier trocken tupfen,
beidseitig mit Mehl bestäuben.
4. Das Öl in einer Fritteuse
auf 160 °C erhitzen, Fische
portionsweise 2 bis 3 Minuten
frittieren. Vor dem Servieren
ein zweites Mal bei 180 °C
frittieren.

Tipp «Brienzlige» werden
traditionellerweise mit dem Kopf
gegessen. Gut dazu passen
Kräuterquark, Blattsalat und im
Dampf gegarte Kartoffeln.

FRITURE DE «BRIENZLIG»

REPAS

16 petits féras

Marinade
2 dl de lait
un peu de sauce Worcester
un peu de jus de citron
2 cs de thym citronné ciselé

farine

huile à friture

1. Ouvrir le ventre des féras,
les vider, retirer les arêtes,
laver les poissons à l'intérieur et
extérieur et les sécher avec
du papier absorbant.
2. Mélanger les ingrédients
pour la marinade et laisser tirer
les poissons durant 6 heures dans
la marinade.
3. Sécher les poissons avec
du papier absorbant et les
passer dans la farine des deux
côtés.
4. Faire chauffer l'huile
dans la friteuse à 160 °C. Frire
les poissons par portions durant
2 à 3 minutes. Avant de servir,
les frire une seconde fois à
180 °C.

Conseil Par tradition,
les Brienzlig sont consommés
avec la tête. Garnir avec du séré
aux fines herbes, une salade
croquante et des pommes de
terre à la vapeur.

BAKED «BRIENZLIG»

MAIN DISH

16 «Brienzlig» (small whitefish)

Marinade
200 ml milk
a dash Worcester sauce
a dash lemon juice
2 tbsp finely chopped lemon
thyme

flour

oil for deep-frying

1. Cut stomach of small
whitefish, disembowel, clean fish
inside and out, dab dry with
kitchen paper.
2. Mix the ingredients
for the marinade; marinate the
fish for about 6 hours.
3. Dry the whitefish with
kitchen paper, dust with flour.
4. Heat the oil to 160 °C,
deep-fry the fish in portions.
Deep-fry once more at 180 °C
before serving.

Tip Traditionally the head
of the «Brienzlig» is eaten
as well. Goes well with curd
seasoned with herbs, fresh lettuce
and steamed potatoes.

ER LIEBT DIE ZIEGEN. UND DEN ZIEGENKÄSE.

IL AIME LES CHÈVRES – LE FROMAGE DE CHÈVRE AUSSI.

HE LOVES HIS GOATS. AND THE GOAT'S CHEESE.

JÜRG SCHENK, HOMBERG

Liebevoll krault er ihren Hals, vertrauensvoll schaut sie zu ihm auf. Er: ein bodenständiger Bauer mit abgelegenem Heimetli hoch oberhalb von Thun. Sie: eine weiße Saanengeiß, zutraulich und anhänglich. «Schnudergeiß», nennt Jürg Schenk seine Ziege. Und erzählt, sie wolle eben immer nahe bei ihm sein, komme überall hin mit, wenn sie nur könne. Als er zum Fototermin ins Auto gestiegen sei, sei sie mit einem Sprung auf den Beifahrersitz gehüpft und deshalb sei sie jetzt eben auch auf dem Bild.

Die «Schnudergeiß» ist Schenks Liebling. Aber eigentlich liebt er alle seine 60 Ziegen. Deshalb dürfen sie auch (fast) alles tun. Sie meckern rund ums kleine Bauernhaus herum, steigen überall hoch, schauen auch mal hinein in die große Wohn- küche, wenn sich eine Gelegen- heit bietet. In sechsjähriger Arbeit hat Jürg Schenk eigen- händig den ehemaligen Pferde- stall umgebaut, um seinen

Avec douceur, il lui caresse le cou et elle le fixe d'un regard paisible. L'agriculteur de mon- tagne vit sur son petit domaine sur les hauteurs de Thoune. Jürg Schenk appelle familière- ment sa chèvre de Saanen «Schnudergeiss». Il nous dit qu'elle l'accompagne partout, si possible. En s'installant au volant de son auto pour se rendre chez le photographe pour cet ouvrage, la chèvre a bondi sur le siège du passager. Voilà pourquoi elle se trouve sur l'illustration.

«Schnudergeiss» est la préférée de Jürg Schenk. En réalité, il les adore toutes, ses 60 chèvres. Pour cette raison, elles peuvent faire pratiquement (tout) ce qu'elles veulent. Elles bêlent autour de la maison, grim- pent partout et regardent même à l'intérieur de la maison à travers les fenêtres. En six ans de travail, Jürg Schenk a trans- formé l'écurie à chevaux afin que ses chèvres aient une place suffisamment grande et con-

He lovingly caresses its neck; it looks at him trustingly. He: a down-to-earth farmer in his remote chalet high above Thun. It: a white Saanen goat, trusting and affectionate. Schenk calls it «Schnuder- geiss» (snot goat). And tells us that it always wants to be close to him and follows him around all over the place whenever it can. When he got in the car to come to the photo shooting for this book, it quickly jumped inside onto the passenger seat. That was the reason why it was in the picture as well.

The «Schnudergeiss» is Schenks favourite. In actual fact he loves all his sixty goats. That's why they are allowed to do (practically) everything. They baa around the small farmhouse, climb up everything and also look into the large kitchen when- ever there's a chance. In six years work Jürg Schenk renovated the former horse stables himself in order to offer his goats a

Geißen und Böcken ein anständiges und tiergerechtes Zuhause bieten zu können. Darauf ist er stolz: «Die haben weit mehr Platz, als es das Gesetz vorschreibt».

Jürg Schenk ist 1996 «auf die Geiß gekommen», erzählt er. Aber sagt auch, dass er das schon immer gewollt habe. Und weil er so gern Ziegenkäse esse, habe er dann eben irgendwann mit Käsen angefangen … denn schließlich müsse die Milch auch verwertet werden. Das meiste Wissen brachte sich Schenk selber bei. Zwar besuchte er anfänglich einen Käserkurs, «aber da bekam ich sofort den Verleider und hätte beinahe alles wieder sein lassen». Grund waren all die gesetzlichen Vorschriften, von denen er im Kurs hörte und die, so schien es ihm, ihn geradewegs ins Gefängnis führen würden.

Soweit kam es nicht, seit Schenk trotz allem mit Käsen

venable. Il est fier d'être largement au-dessus des limites de la loi.

C'est en 1996 que Jürg Schenk a débuté son travail avec les chèvres et c'est ce dont il a toujours rêvé. Comme il aime beaucoup le chèvre frais, il s'est mis à produire du fromage de ce lait qu'il faut bien utiliser. Il s'est approprié par lui-même la plupart des connaissances nécessaires. Au départ, il a bien suivi un cours pour fromagers, «mais j'ai tellement été découragé que j'étais tout près d'abandonner». Les obstacles légaux qu'on expliquait au cours lui semblaient insurmontables et il pensait qu'ils le conduiraient directement en prison.

Il n'en est pas arrivé là depuis qu'il s'est mis à produire du fromage de chèvre. Au contraire, son fromage frais a trouvé des amateurs loin à la ronde. Ils viennent l'acheter à la fromagerie Wagner à Hünibach

proper and livestock-friendly home. He proudly says: «They have far more space then the law requires.»

Jürg Schenk tells us he came across goats in 1996. But he also says that he had always wanted some. And because he loves goat cheese that much, he began with cheese making at one point … after all, the milk had to be made use of somehow. Schenk had taught himself most of his knowledge. Although he had attended a cheese-making course initially, he immediately got fed up and nearly dropped the whole idea. The reason being the legal regulations, which he heard about at the course, and which, so he felt, would bring him to jail straight away. Fortunately it never got that far, even though Schenk did decide to start cheese making. On the contrary, his fresh goat cheese has won many friends far and wide who know, that the little cheeses can be bought at

angefangen hat. Im Gegenteil, sein Ziegenfrischkäse hat weitherum Freunde gewonnen, die wissen, dass die Käslein im Käsegeschäft Wagner in Hüni-bach zu kaufen sind. Oder auch beim bekannten Käse-affineur Christoph Bruni in Thun, was seinem Käse schon beinahe eine höhere Weihe verleiht. Nor-malerweise stellt Jürg Schenk einen nature und einen mit Knoblauch und Kräutern gewürzten Frischkäse her, dazu, falls er noch Milch hat, auch einen so genannten Schnittkäse, der in der Konsistenz irgendwo zwischen halbhart und weich liegt.

Das Bauernhaus hat Schenk von seinem Großvater geerbt. Und ein paar Kühe hat er immer noch. Aber eigentlich möchte er damit aufhören und ganz auf die Ziegen setzen. «Mit Kuhmilch kannst du ja nicht mehr existieren», erklärt er. Nein, da sind ihm seine Ziegen lieber. Die vermehren sich auch prächtig: Da Schenk sie ohne Abtrennung

ou chez le célèbre affineur Christoph Bruni à Thoune, ce qui est presque un sacre pour son fromage. Généralement, il produit un fromage frais nature et un autre à l'ail et aux fines herbes. En outre, s'il a suffisamment de lait, il fabrique un fromage à la coupe dont la consistance se situe à mi-chemin entre pâte molle et mi-dure.

Jürg Schenk a hérité la ferme de son grand-père. Il a aussi gardé quelques vaches, mais il désire abandonner le lait de vache et se consacrer unique-ment à la chèvre. «Il n'est plus possible de survivre avec le lait de vache» affirme-t-il. Les chèvres sont bien plus inté-ressantes et se reproduisent sans problème. Comme Schenk ne sépare pas ses chèvres et renonce à tout traitement hormonal, ses chèvres mettent bas durant toute l'année. Ce n'est pas habituel, puisque la plupart des paysans dirigent les accouchements de manière

the cheese shop Wagner in Hünibach or at the well-known cheese dealer and expert Christoph Bruni in Thun, which almost sanctifies this cheese. Normally Jürg Schenk produces a natural cheese and a fresh cheese spiced with garlic and herbs, and in addition, if he has any spare milk left, a so-called «Schnittkäse» with a texture that lies somewhere between half-hard and soft.

Schenk inherited the farmhouse from his grandfather. And he still owns a few cows, but would actually like to finish with these and concentrate fully on the goats. «With cows milk one cannot exist anymore» he explains. No, he really does prefer his goats. They propagate splendidly: Because Schenk lets them stay together without barriers and refrains from any kind of hormone treatment, the goats can litter all year round. This is unusual. Many farmers purposely time their litter that the young goats can be

zusammen leben lässt und auch auf jede Hormonbehandlung verzichtet, «gitzlen» (werfen) die Geißen rund ums Jahr. Das ist sonst nicht üblich. Viele Bauern legen die Würfe zeitlich so, dass die Geißlein genau zu Ostern geschlachtet und als «Ostergitzi» verkauft werden können. Das will Jürg Schenk nicht – seine Geißen sollen möglichst viel Lebensfreude haben. Und wenn sie einmal kränkeln, behandelt er sie statt mit Chemie lieber mit Brennnessel- und Schachtelhalmtee, auf den sie übrigens «wahnsinnig scharf» sind. Wenn ihr Ziegenleben dann doch zu Ende geht, landen sie im Kochtopf oder im Backofen. Oder in einer Wurst – er habe auch schon einen alten Bock verwurstet und extra noch Freilandsäuli-Speck in die Masse gemischt. Das seien so gute Würste geworden, dass die Kunden immer noch danach fragen. Aber eigentlich solle nicht das Fleisch, sondern der Käse seine Haupteinnahmequelle sein, sagt Schenk.

à ce qu'ils aient lieu avant Pâques, afin de pouvoir vendre les cabris pour les fêtes. Ce n'est pas à ce que Schenk aspire: il veut que ses chèvres vivent heureuses et au gré de la nature. Si par hasard elles sont un peu chétives, il préfère les traiter avec des infusions d'ortie ou de prêle en lieu et place de produits chimiques. Traitement qu'elles adorent, affirme-t-il. Vers la fin de leurs jours, elles atterrissent finalement dans une casserole ou au four. Ou entrent dans la composition d'une saucisse. Un jour, il a même produit des saucisses avec de la viande d'un vieux bock mélangée à la chair de jeunes porcs. Ces saucisses étaient si bonnes que ses clients lui en réclament encore chaque année. Mais ce n'est pas de viande que Jürg Schenk veut vivre, mais bien de son fromage de chèvre.

slaughtered for Easter and sold as Easter «Gitzi». Jürg Schenk does not do this – he wants his goats to have the most joy in life possible. And if they happen to be ill, he prefers to treat them with nettle, which they are crazy about, and horsetail tea instead of chemical medication. When their goat's life does come to an end, they land in the cooking pot or in the oven. Or in a sausage – he has in fact made sausages out of an old buck with free-range pork blended into the mixture. These sausages where so good, that customers still ask for them. But in actual fact, not the meat, but the cheese is intended to be his main income, says Schenk.

And so he makes goat cheese day after day. When the weather is hot and sultry even twice a day. He has never cared about an organic label; the administrative effort is too big for him. People like his cheese as it is, without organic recommendation,

Und so macht er denn Tag für Tag seinen Ziegenkäse. Bei heißem und schwülem Wetter käst er sogar zweimal täglich. Um ein Biolabel hat er sich nicht bemüht, der administrative Aufwand ist ihm zu groß. Die Leute mögen seine Käse auch so, ohne Bio-Auszeichnung, zum Znüni, Zmittag und Zvieri. Sie schätzen den unverfälschten Geschmack und die bodenständige Herkunft dieses Produkts. Es ist ein natürliches, ehrliches Produkt – genau wie sein Macher.

C'est donc journellement qu'il fabrique son fromage. En cas de temps chaud ou lourd, il fait même deux productions par jour. Il a bien tenté d'obtenir une certification bio, mais l'effort administratif à fournir était trop important. Ses clients apprécient son fromage même sans certification, pour les neuf heures, le dessert ou les quatre heures. Ils savourent le goût franc de ce produit du terroir. Un produit naturel, honnête, comme son producteur.

for a snack, for lunch or tea. They are grateful for the unpretentious taste and the down-to-earth origin of these products. It is a natural, honest product – just like its creator.

«JUSTITALER» KÄSESCHAUMSUPPE

MIT ALPKÄSE UND WACHTELEI

VORSPEISE

1 EL Butter
1 kleine Zwiebel
100 g weißer Lauch
50 g Knollensellerie
1 dl/100 ml Weißwein
8 dl/800 ml helle Geflügelbrühe
2 ½ dl/250 ml Rahm/Sahne
80 g 2-jähriger Alpkäse, gerieben
Salz, Pfeffer

4 Wachteleier
100 g 2-jähriger Alpkäse
1 TL Weißmehl
wenig gehackte Rosmarinnadeln

1. Zwiebel, Lauch und Knollensellerie schälen/putzen, in Würfelchen schneiden, in der Butter andünsten, mit Weißwein und Geflügelbrühe ablöschen, aufkochen, 15 Minuten köcheln, Rahm zugeben, aufkochen, weitere 15 Minuten köcheln.

2. Für die Garnitur Käse mit Mehl und Rosmarinnadeln mischen. Käsemischung in 4 Portionen in eine beschichtete Bratpfanne streuen, je ein Wachtelei darauf aufschlagen, Eiweiß bei schwacher Hitze stocken lassen.

3. Suppe aufkochen, Alpkäse einstreuen, mit dem Mixer gut durchmixen, in Suppentellern anrichten, die Garnitur daraufsetzen. Sofort servieren.

Tipp Alpkäse durch Sbrinz oder Parmesan ersetzen.

VELOUTÉ DU «JUSTITAL»

AVEC FROMAGE D'ALPAGE ET ŒUFS DE CAILLE

ENTRÉE

1 cs de beurre, 1 petit oignon
100 g de poireau blanc
50 g de céleri-rave
1 dl de vin blanc
8 dl de bouillon de volaille
2 ½ dl de crème entière
80 g de fromage d'alpage de 2 ans d'âge, râpé
sel, poivre

4 œufs de caille
100 g de fromage d'alpage de 2 ans d'âge, 1 cc de farine
un peu de romarin haché

1. Débiter l'oignon, le poireau et le céleri-rave en petits morceaux et les faire revenir dans le beurre, verser le vin et le bouillon, porter à ébullition et faire mijoter 15 minutes. Ajouter la crème et faire mijoter encore 15 minutes.

2. Pour la décoration, mélanger fromage, farine et romarin. Déposer 4 tas de ce mélange dans une poêle anti-adhésive, casser un œuf de caille sur chaque portion et faire frire jusqu'à solidification du blanc d'œuf.

3. Porter le potage à ébullition, ajouter le fromage d'alpage, bien mixer et verser dans des assiettes creuses. Déposer la décoration au centre et servir.

Conseil On peut remplacer le fromage d'alpage par du sbrinz ou du parmesan.

«JUSTITAL» FROTHY CHEESE SOUP WITH ALP CHEESE AND QUAIL EGGS

STARTER

1 tbsp butter
1 small onion
100 g white leek
50 g celeriac
800 ml clear chicken broth
250 ml cream
80 g 2-year old alp cheese, grated
salt, pepper

4 quail eggs
100 g 2-year old alp cheese
1 tsp white flour
a couple of chopped rosemary needles

1. Clean and peal onion, leek and celeriac, dice, fry in the butter, dowse with white wine and chicken broth, bring to boil, simmer for 15 minutes, add cream, bring to boil, simmer a further 15 minutes.

2. Mix cheese, flour and rosemary for the garnish. Place cheese mixture in 4 portions in a coated frying pan, crack open a quail's egg on each cheese portion and let egg white solidify at moderate temperature.

3. Bring soup to boil, stir in grated alp cheese and mincewith grinder, serve in soup plates, place garnish on top. Serve immediately.

Tip Instead of alpine cheese one can also use Sprinz or Parmesan cheese.

SAANEN-MOZZARELLA
MIT AUBERGINEN-«KAVIAR»

VORSPEISE

2 Saanen-Mozzarella (Kuhmilch)
je 1 TL Waldhonig/Apfelessig
4 EL kalt gepresstes Rapsöl
1 Schalotte, fein gehackt
wenig gehackte Rosmarinnadeln
2 EL Olivenöl, 1 Aubergine
1 EL Meersalz, wenig Thymian
wenig Knoblauch, Salz, Pfeffer
2–3 Radieschen, Rucola

1.   Aubergine halbieren,
Fleisch kreuzweise 2 mm
tief einschneiden, Schnittflächen
in wenig Olivenöl anbraten,
mit Salz, Pfeffer und Thymianblättchen würzen, mit restlichem
Olivenöl beträufeln, mit Schnitt-
fläche oben in Blech legen,
bei 160 °C 30 Minuten backen.
Fleisch lauwarm aus Schale
löffeln, grob hacken, würzen mit
durchgepresstem Knoblauch,
Salz und Pfeffer.

2.   Mozzarella in Scheiben
schneiden, auf einen Teller legen.
Honig, Essig und Rapsöl verrühren, Schalotten und Rosmarin
zufügen, mit Salz und Pfeffer
abschmecken. Über Mozzarella
träufeln, kurz marinieren.

3.   Auberginen und Mozzarella auf Teller geben, mit
Rucola/Radieschen garnieren,
mit restlicher Sauce beträufeln.

Auberginenchips 2 mm
dicke Scheiben schneiden,
mit Olivenöl bepinseln, zwischen
Backpapier auf Blechrücken
legen, zweites Blech darauflegen,
bei 180 °C 5–7 Minuten backen.

MOZZARELLA DE LA SARINE AVEC «CAVIAR» D'AUBERGINES

ENTRÉE

2 mozzarella de la Sarine
1 cc de miel de forêt
1 cc de vinaigre de pomme
4 cs d'huile de colza
1 échalote finement hachée
un peu de romarin haché
2 cs d'huile d'olive, 1 aubergine
1 cs de sel marin, un peu de thym
et d'ail, sel et poivre
2 à 3 radis roses, roquette

1.   Couper l'aubergine
en deux, entailler en croix la face
coupée à 2 mm de profondeur,
faire griller ces surfaces dans un
peu d'huile d'olive, saler, poivrer,
saupoudrer de feuilles de thym
et asperger du reste d'huile
d'olive. Déposer sur une plaque,
la coupe vers le haut, les faire
cuire au four, 30 minutes à
160 °C. Retirer la chair encore
chaude, la hacher grossièrement
et assaisonner avec un peu
d'ail, du sel et du poivre.

2.   Débiter la mozzarella en
tranches, les déposer sur une
assiette. Mélanger miel, vinaigre
de pomme et huile de colza,
ajouter romarin et échalote, saler
et poivrer. Verser la sauce sur
les tranches de mozzarella
et laisser tirer quelques minutes.

3.   Sur les assiettes, former
des tourelles en alternant
avec de mozzarella et «caviar»
d'aubergine. Décorer avec
roquette et rondelles de radis.
Asperger avec le reste de sauce.

SAANEN-MOZZARELLA
WITH EGGPLANT «CAVIAR»

STARTER

2 Saanen-Mozzarella (cow milk)
1 tsp forest honey
1 tsp apple vinegar
4 tbsp cold-pressed rapeseed oil
1 shallot, finely chopped
a few chopped rosemary needles
2 tbsp olive oil, 1 eggplant
1 tbsp sea salt, a little thyme
a little garlic, salt, pepper
2–3 radishes, rucola

1.   Halve the eggplant,
incise the flesh 2 mm crosswise,
fry with cut sides down in a
little olive oil, season with salt,
pepper and the thyme leaves,
sprinkle with the rest of the olive
oil, place on a baking tin, bake
in oven at 160 °C for 30 minutes.
Spoon the lukewarm egg-
plant flesh out of the skin, chop
coarsely, season with a little
squashed garlic, salt and pepper.

2.   Cut Mozzarella in
slices, place on a plate. Mix
honey, vinegar and rapeseed oil,
add shallots and rosemary,
season with salt and pepper, pour
over the Mozzarella, marinate
for a couple of minutes.

3.   Place eggplant and
Mozzarella on plates, garnish
with radishes and rucola, sprinkle
with the rest of the vinaigrette.

Eggplant chips Cut in
slices of 2 mm, brush with olive
oil, place between 2 baking
papers on baking tin, way down
with a second baking tin. Bake
for 5 to 7 minutes at 180 °C.

ZITRONENRAVIOLI MIT «HOMBERGER» ZIEGEN-FRISCHKÄSE, MIT GEBRATENEN STACHYS

MAHLZEIT

Ravioliteig
300 g Dinkelweißmehl
1 Msp Salz, 3 Freilandeier
2 EL Rapsöl,1–2 EL Wasser

Füllung
100 g Ziegenfrischkäse
60 g Ricotta, 2 Scheiben
Toastbrot ohne Rinde, gewürfelt
½ unbehandelte Zitrone,
abgeriebene Schale und Saft
Salz frisch gemahlener Pfeffer

2 EL Butter, 200 g Stachys
2 Schalotten, in feinen Streifen
2 Knoblauchzehen, halbiert

1. Mehl und Salz mischen, eine Vertiefung drücken, Eier, Öl und Wasser zugeben, einen weichen, elastischen Teig kneten. 30 Minuten ruhen lassen.
2. Für die Füllung alle Zutaten gut mischen, würzen.
3. Teig dünn ausrollen, 16 Quadrate von 10 cm Länge schneiden. Füllung in die Mitte geben, Ränder mit wenig Wasser bepinseln, zusammen-klappen, Ränder gut andrücken.
4. Stachys über Dampf 3 Minuten garen, mit Schalotten und Knoblauch in der Butter bei mittlerer Hitze braten.
5. Ravioli im Salzwasser 2 bis 3 Minuten kochen. Mit Schaumlöffel herausnehmen, anrichten, Stachys zugeben.

RAVIOLES AU CITRON AU CHÈVRE FRAIS DE «HOMBERG»

REPAS

Pâte à ravioles
300 g de farine d'épeautre
1 pc de sel, 3 œufs, 2 cs d'huile
de colza, 1–2 cs d'eau

Farce
100 g de chèvre frais, 60 g de
ricotta, 2 tranches de pain de
mie, sans croûte, en petits dés,
½ citron non traité, zeste et jus

2 cs de beurre, 200 g de cardes
2 échalotes en fines lamelles
2 gousses d'ail coupées en deux

1. Mélanger farine et sel, creuser la fontaine, y verser les œufs, l'huile, l'eau et former une pâte élastique. Laisser reposer à couvert, 30 minutes à tempé-rature ambiante.
2. Mélanger tous pour la farce. Saler et poivrer.
3. Abaisser la pâte très fine, couper 16 carrés de 10 cm de côté, puis y déposer de la farce au centre. Mouiller les bords avec un peu d'eau et rabattre la pâte pour former des triangles. Bien presser les bords.
4. Laver les cardes, les faire cuire 2 à 3 minutes à la vapeur. Les frire au beurre, dans la poêle, à feu moyen avec l'échalote et l'ail.
5. Faire cuire les ravioles 2 à 3 minutes dans l'eau salée. Les retirer avec une écu-moire, les placer sur les assiettes. Installer les cardes à côté.

LEMON RAVIOLI WITH «HOMBERGER» GOAT'S CHEESE FILLING, WITH FRIED STACHYS

MAIN DISH

Ravioli dough
300 g spelt flour, 1 pinch of salt
3 free-range eggs, 2 tbsp
rapeseed oil, 1–2 tbsp water

Filling
100 g goat's fresh cheese
60 g ricotta
2 slices of toast without
the crust, diced
½ organic lemon, zest and juice
salt, pepper

2 tbsp butter, 200 g stachys
2 shallots, in thin slices
2 clovers garlic, in halves

1. Mix flour and salt, form a dent in the middle, add eggs, oil and water, knead to a soft, elastic dough. Let set for 30 minutes.
2. Mix everything for the filling, season.
3. Roll out the dough very thinly, cut 16 squares of 10 cm. Place fresh-cheese filling in the middle, brush the sides with a little water, and fold together to triangles, press sides together well.
4. Wash stachys, steam for 2 to 3 minutes, then fry with shallots and garlic clovers in the butter at medium heat.
5. Bring ravioli to boil in plenty of salted water for 2 to 3 minutes. Remove ravioli with a ladle and arrange on plate with the stachys.

GEBRATENE SPECKKARTOFFELN

MIT ZIEGENFORMAGGINI UND «BÖNIGER» ALPKÄSE

MAHLZEIT

8 mittelgroße Kartoffeln
8 Scheiben frisch geräucherter
Speck
8 kleine Stücke 2-jähriger
Alpkäse
200 g Ziegenfrischkäse
2 EL Butter
reichlich Rosmarinnadeln

1. Kartoffeln in der Schale
im Dampf weich kochen,
erkalten lassen. Kartoffeln längs
halbieren, mit einem Kaffee-
löffel beide Hälften ein wenig
aushöhlen, mit dem Bergkäse
füllen, zusammensetzen und mit
dem Speck umwickeln, mit
einem Zahnstocher fixieren.
2. Butter in der Bratpfanne
erhitzen, Kartoffeln beigeben,
bei mittlerer Hitze knusprig
braten. Ziegenfrischkäse zuletzt
dazwischen bröckeln, mit
Salz und Pfeffer abschmecken,
Rosmarinnadeln darüberstreuen.

Tipp Mit einem großen
bunten Saisonsalat servieren.

POMMES RÔTIES AU LARD AVEC CHÈVRE FRAIS

ET FROMAGE D'ALPAGE DE «BÖNIGEN»

REPAS

8 pommes de terre moyennes
8 tranches de lard fraîchement
fumé
8 petits morceaux de fromage
d'alpage de 2 ans d'âge
200 g de chèvre frais
2 cs de beurre
une grande quantité d'aiguilles
de romarin

1. Cuire les pommes de
terre à la vapeur en robe
des champ, les laisser refroidir.
Couper les pommes de terre
en deux, dans le sens de la
longueur et former un creux
avec une cuiller à café. Farcir de
fromage d'alpage, reformer
la pomme de terre, l'envelopper
de lard. Fixer avec un cure-
dents.
2. Faire chauffer du beurre
dans une poêle, ajouter les
pommes de terre, les faire griller
à feu moyen. Ajouter le
fromage frais en l'émiettant, saler
et poivrer. Saupoudrer de
romarin.

Conseil Servir avec
une grande portion de salade de
saison.

FRIED POTATOES WITH BACON

WITH GOAT'S CHEESE AND ALP CHEESE «BÖNIGEN»

MAIN DISH

8 medium sized potatoes
8 slivers freshly smoked bacon
8 small pieces of 2-year old alp
cheese
200 g goat's fresh cheese
2 tbsp butter
generous amount of
rosemary needles

1. Boil potatoes in their
skin until soft and let cool.
Halve potatoes lengthwise, spoon
out a little from each half,
fill with the alp cheese, put
together again and wrap with
the bacon, fix with a tooth-
pick.
2. Heat butter in a frying
pan, add potatoes, fry at
medium heat until crispy. Finally
scatter goat's fresh cheese
over the potatoes, season with
salt and black pepper,
sprinkle with rosemary needles.

Tip Serve with a large,
assorted seasonal salad.

«MEIRINGER» RICOTTA-MOUSSE MIT HEIDELBEEREN UND MERINGUE

DESSERT

2 Eiweiß von Freilandeiern
30 g Zucker
2 Gelatineblätter, in kaltem
Wasser eingeweicht
1½ dl/150 ml Schlagrahm/-sahne
150 g Ricotta
1 unbehandelte Zitrone, wenig
abgeriebene Schale und Saft

Heidelbeerkompott

300 g Heidelbeeren
4 EL Zucker, 1 Msp Vanillezucker

4 Meringues

Minze für die Garnitur

1. Eiweiß halb steifschlagen, Zucker zugeben, steif schlagen. Gut ausgedrückte Gelatine im heißen Wasserbad schmelzen, unter den Eischnee rühren. Ricotta, Zitronensaft und -schale unter den Schlagrahm rühren, unter den Eischnee ziehen.
2. Für das Heidelbeer-kompott alle Zutaten aufkochen, erkalten lassen.
3. Die Hälfte der Ricotta-mousse auf vier Gläser verteilen, wenig Heidelbeerkompott daraufgeben, wenig zerbröckelte Meringue darüberstreuen, mit Ricottamousse, Heidelbeeren, zerbröckelter Meringue und Ricottamousse weiterfahren, mit Meringue abschließen. Mit Minze garnieren.

MOUSSE DE RICOTTA DE «MEIRINGEN» AVEC MYRTILLES ET MERINGUES

DESSERT

2 blancs d'œufs, 30 g de sucre
2 feuilles de gélatine trempées
dans de l'eau froide
1½ dl de crème fouettée
150 g de ricotta
1 citron non traité, un peu de
zeste râpé et un peu de jus

Compote de myrtilles

300 g de myrtilles
4 cs de sucre
1 pc de sucre vanillé

4 meringues

menthe pour décorer

1. Battre les blancs mi solide, ajouter le sucre puis battre en neige ferme. Faire fondre la gélatine bien pressée au bain-marie chaud; l'incorporer aux blancs battus. Ajouter la ricotta, les jus et le zeste de citron à la crème fouettée et l'incorporer aux blancs d'œuf.
2. Pour la compote, porter tous les ingrédients à ébullition et laisser refroidir.
3. Répartir la moitié de la mousse dans quatre coupes, ajouter un peu de compote de myrtilles, parsemer de meringue émiettée, puis une portion de mousse et terminer par de la meringue. Décorer avec de la menthe.

«MEIRINGER» RICOTTA MOUSSE WITH BLUEBERRIES AND MERINGUE

DESSERT

2 egg whites from free-range
eggs, 30 g sugar
2 sheets gelatin, soaked
in cold water
150 ml whipped cream
150 g ricotta cheese
1 organic lemon, a little lemon
zest and juice

Steamed blueberries

300 g blueberries, 4 tbsp sugar
1 pinch of powdered sugar
with vanilla aroma

4 meringues

mint leaves to garnish

1. Whisk egg white until half stiff, add sugar, whisk until stiff. Squeeze out water from gelatin and let gelatin melt in a bowl placed in hot water, mix into the stiff egg white. Stir ricotta cheese, lemon juice and lemon zest into the whipped cream, and then fold mixture into egg white.
2. Bring to boil all ingredients for the stewed blueberries, let cool.
3. Distribute half the ricotta mousse in four glasses, put a little stewed blueberries on the mousse, sprinkle with some meringue crumbs, continue with ricotta cheese mousse, blueberries, meringue crumbs, ricotta cheese mousse, finish with meringue. Garnish with mint leaf.

SCHWARZE BAUMNÜSSE. REIFE APRIKOSEN UND PFIRSICHE.

NOIX NOIRES. DES ABRICOTS ET DES PÊCHES MÛRS.

BLACK WALNUTS. RIPE APRICOTS AND PEARS.

MARKUS OPPLIGER, GUNTEN

Bauer Markus Oppliger in Gunten oberhalb des Thunersees hat den richtigen Nussbaum, Küchenchef Urs Wandeler das nötige Können, um aus einer unreifen Baumnuss eine süßsaure Delikatesse für kalte Platten oder raffinierte Desserts zu machen. Er sticht jede der grünen Nüsse mit einer Nadel mehrmals ein, bevor er sie gründlich wässert. Nach 2 Wochen legt sie Urs Wandeler in eine spezielle Marinade. Später kocht er den Sud mit den Nüssen auf, füllt das Ganze in Vorratsgläser und sterilisiert die Baumnüsse. Etwa ein halbes Jahr müssen die Nüsse kühl gelagert werden. Deshalb gibt es erst im Winter wieder neue schwarze Nüsse.

Der Nussbaum steht an einem steilen Bord hoch über dem See. Geerntet wird, wenn das Wetter sich normal gebärdet, am 26. Juni, dem Johannistag. Was? Baumnussernte schon im Sommer? Die sind ja noch gar nicht reif! Stimmt. Das sollen

Markus Oppliger, agriculteur à Gunten près de Thoune, possède un bon noyer. Et le chef de cuisine Urs Wandeler le savoir-faire pour produire, à partir d'un fruit non mûr, une délicatesse aigre-douce pour accompagner plats froids et desserts raffinés. Avec une aiguille, il perfore chaque noix plusieurs fois avant de les mettre tremper dans de l'eau. Après deux semaines, il les met macérer dans une marinade à base de sucre caramélisé, de vinaigre et d'eau. La marinade et les noix sont ensuite portées à ébullition, versées dans des bocaux et stérilisées. Ces noix noires doivent être entreposées durant six mois au frais pour être servies l'hiver suivant.

Le noyer en question se dresse sur un talus très en pente au-dessus du bord du lac. Si le temps le permet, la récolte se fait le 26 juin, à la Saint-Jean. «Ces noix ne sont pas encore mûres» dira tout un chacun. Mais

Farmer Markus Oppliger in Gunten above Lake Thun has the suitable walnut tree, chef Urs Wandeler the proper skill to make a sweet-and-sour delicacy out of immature walnuts for cold dishes or exquisite desserts. He pricks each green nut several times with a pin before he thoroughly rinses them. After a fortnight Urs Wandeler puts the walnuts in a special marinade. Later on he boils the brew and the nuts, fills them into preserving jars and sterilises them. The nuts have to be stored in a cool place for about half a year. This is why there won't be any new black walnuts until wintertime.

The walnut tree stands on a steep ridge high above the lake. The walnuts are usually picked on June 26th, Johannistag (John the Baptist day), if the weather is reasonable. Excuse me? Picking walnuts in summer? They aren't ripe by then! True. But that's exactly how they should be: green on the out-

sie auch nicht sein: Außen grün und innen weiß, mit einer Schale, die sich erst gerade zaghaft zu verfestigen beginnt, bevor sie braun und hart wird – eben so, wie man eine Baumnuss kennt.

Die kleinen Einmachgläser mit den schwarzen Nüssen verkaufen Markus und Jasmin Oppliger im eigenen Hofladen. Sie gehen weg wie warme Weggli. Genauso gefragt sind die Dörrbohnen, eine eigentliche Rarität, weil seit ein paar Jahren kaum mehr Schweizer Ware zu finden ist, da die Großverteiler praktisch alle Dörrbohnen aus China importieren. Oppliger hat sich auf Raritäten spezialisiert. Bei ihm – am Hang des Thunersees, umgeben von imposanten Berggipfeln! – wachsen Pfirsiche, Nektarinen und Aprikosen. Er pflanzte sie 1994 an, als er merkte, dass das Klima genau in seiner steilen Hanglage besonders mild und freundlich und vor allem warm genug ist für diese Süd-

c'est précisément ce qu'il faut. Ces noix sont vertes à l'extérieur et toutes blanches à l'intérieur. La coquille est encore tendre, avant de devenir brune et dure.

Les petits bocaux contenant les noix noires, Markus et Jasmin Oppliger les vendent dans leur propre magasin à la ferme. Ce produit part comme des petits pains. Les haricots secs se vendent tout aussi bien, car on ne trouve pratiquement plus de haricots suisses sur le marché. Les haricots secs vendus dans les grands magasins proviennent tous de Chine. Oppliger s'est spécialisé dans les produits de niche. Chez lui, au bord du lac de Thoune, sur les pentes abruptes entourées de cîmes imposantes, il cultive des pêches, des nectarines et des abricots. Il les a plantés en 1994. Il a alors constaté que le climat sur ses pentes exposées au sud était idéal pour ces fruits du sud. Les caprices du temps comme nous en avons vécu en 2007 peuvent être

side, white inside with a shell that is just beginning to harden before it gets brown and hard – the way one commonly knows the walnut.

Markus and Jasmin Oppliger sell the small preserving jars filled with the black nuts in their own farmyard shop. They sell like hot cakes. The dried beans are in demand just as much: a true rarity, because since a few years there are hardly any Swiss beans left anymore, the reason being that wholesalers import practically all their dried beans from China. Farmer Oppliger has specialised himself in rarities. He cultivates peaches, nectarines and apricots on the slopes above Lake Thun, surrounded by impressive mountain peaks. He planted the trees in 1994 when he realised that on his steep slopes the climate was especially mild and friendly, and above all warm enough for these southern fruit. Weather cavorts such as in 2007 are

früchte. Wetterkapriolen
wie 2007 bergen die Gefahr von
faulenden Früchten. «Im März
schneite es voll in die Blüte»,
blickt er zurück. Dafür gab es so
viele Kirschen wie noch nie:
Vier Wochen lang erntete Familie
Oppliger die Früchte ihrer
zwanzig Hochstammbäume –
über eine Tonne Kirschen waren
das Resultat. Die größte
Ernte bringen aber nach wie
vor die Apfel- und Birn-
bäume. 20 Apfel- und 6 Birnen-
sorten zählt Markus Oppliger
auf, darunter so alte und seltene
Sorten wie die rotbackigen
«Berner Rose» und der säuerlich-
spritzige «Suergrauech»
(Sauergrauech).

Der Haupterwerb dieses land-
wirtschaftlichen Betriebes ist der
Obstbau – Kühe und Schafe,
welche das «Mähen» der steilen
Hänge zwischen den Obst-
bäumen übernehmen und später
gutes Fleisch liefern, sind ein
Nebenerwerb. Immer wichtiger
werden die Trockenfrüchte.
Aus der Not heraus – «wir hatten

à la source du pourrissement
des fruits. «En mars, il a neigé
sur la fleur» constate-t-il, «mais
nous n'avons jamais récolté
autant de cerises que cette
année». Sur ses 20 arbres hautes
tiges, la famille a récolté
une tonne de cerises en un mois.
Mais les pommes et les poires
produisent encore toujours
des quantités records. Markus
Oppliger cite 20 variétés
de pommes et 6 de poires, dont
des variétés très anciennes
telles que «la Rose de Berne» et
la variété acidulée Pomme
raisin, appelée «Surgrauech»
dans l'Oberland.

L'arboriculture est le revenu
principal de cette exploitation
agricole. Les moutons et
vaches qui s'occupent à tondre
l'herbe entre les arbres sur
ces pentes abruptes sont plutôt
un à-côté. Les fruits secs
prennent en revanche de plus
en plus d'importance.
Débordée par une récolte sura-
bondante de pruneaux voici
quelques années, la famille

dangerous and can make the
fruit rotten. «In March it snowed
when the trees where in full
bloom», he remembers. However
there where more cherries
then ever: During four weeks the
Oppliger family where able to
pick fruit from their twenty trees
– the result being over a ton of
cherries. The biggest harvests
remain those from the apple- and
pear trees. Markus Oppliger
lists twenty kinds of apples and
six kinds of pears, some of
which are old and rare kinds such
as the red-cheeked «Bernese
Rose» and the sour-tangy
«Suergrauech» (Sauergrauech).

Fruit-growing is the main income
for this agricultural enterprise
– cows and sheep, who do
the «mowing» of the steep slopes
between the fruit trees and
provide good meat later on, are
a sideline. Dried fruit is
becoming more and more important. Out of necessity – they
had far too many prunes –
the Oppliger family first hired a
drying machine a couple of

viel zu viel Zwetschgen» – mietete Familie Oppliger vor ein paar Jahren erstmals einen Dörrapparat, und merkte, dass sich damit der Früchtesegen ideal verwerten ließ. Trockenfrüchte ohne Konservierungsmittel liegen voll im Trend. Die heutige eigene Trocknungsanlage im Bauernhaus läuft während 10 Monaten jährlich auf Volldampf, getrocknet werden Äpfel, Birnen, Zwetschgen, Nektarinen, Aprikosen, Bohnen. Sehr beliebt sind die Birnenringli, in feine Scheiben geschnittene Birnen samt Kerngehäuse, die besonders «chüschtig», das heißt aromareich sind und den richtigen Biss haben.

Verkauft wird der Obstsegen, frisch und getrocknet, im eigenen Hofladen. Im Angebot sind auch «Mutschli» (Weißkäse), die aus Milch von den eigenen Kühen hergestellt werden, die im Sommer auf der Alp weiden. Ferner gibt es Schwarze Nüsse sowie Quittensenf, die Urs Wandeler

Oppliger à loué un séchoir. Elle a constaté qu'en séchant les fruits, il était possible de mieux gérer les récoltes et leur conservation. Les fruits secs sans agents conservateurs sont très recherchés. Leur propre installation de séchage fonctionne aujourd'hui durant 10 mois pour sécher pommes, poires, pruneaux, nectarines, abricots et haricots. Les anneaux de poires coupés avec le trognon sont l'article rencontrant le plus grand succès.

Dans leur propre magasin à la ferme, les fruits frais et séchés sont vendus par la famille même. On y trouve également les «Mutschli», petites tomes de fromage blanc produits avec le lait des vaches de la famille Oppliger qui passent l'été sur l'alpage. On peut aussi acheter les noix noires et la moutarde de coings que le chef Urs Wandeler prépare avec les produits de la ferme. Le magasin de la ferme est connu loin à la ronde et l'on sait

years ago and realised that this was an ideal way to make use of the abundant fruit. Dried fruit without preservatives is becoming increasingly popular. The Oppligers run their own drying machine in the farm at full speed during ten months a year drying apples, pears, prunes, nectarines, apricots, beans. The pear rings are especially popular, as also the finely sliced pears with core, which are particularly aromatic and have just the right consistency.

The whole harvest, fresh and dried, is sold in their own farmyard shop. On sale also the «Mutschli» (white cheese), made out of milk from the farms' own cows that graze on the alp during summertime. The black walnuts and the quince mustard chef Urs Wandeler produces from Oppliger products are on sale as well. The farmyard shop is well known with regulars. It is known that almost always someone from the large family Oppliger is at home:

aus Oppliger-Produkten herstellt. Der Hofladen ist bei den Stammkunden gut bekannt. Man weiß, dass bei der Großfamilie meist jemand zuhause ist: Zur Familie gehören vier Kinder und die Großeltern, die im selben Haus wohnen und immer noch kräftig auf dem Betrieb mitarbeiten. «Wir haben unsere Nische gefunden», meint Markus Oppliger. Zufrieden schaut er vom steilen, sonnigen, klimatisch begünstigten Hang hinaus auf den tief unten liegenden Thunersee.

que toujours un membre de la famille est présent avec les quatre enfants et les grands-parents. «Nous avons trouvé notre niche» déclare Markus Oppliger en contemplant ses coteaux privilégiés par le climat, le lac de Thoune à ses pieds.

Four children and the grand-parents, who live in the same house and still actively help in the farm, belong to the family. «We've found our niche» Markus Oppliger confirms with a satisfied look from his steep and sunny, climatically favoured slope to Lake Thun far below.

ERFRISCHENDE APRIKOSENBOWLE

MIT ZITRONENVERVEINE

APERITIF

für 1½ l Bowle

1 l fruchtiger Weißwein
½ Zimtstange, ½ Vanilleschote
20 g Ingwer, geschält,
in Scheiben, 100 g Zucker
½ unbehandelte Zitrone,
in Scheiben, entkernt
½ Limette, in Scheiben, entkernt
1 Handvoll Zitronenverveine-
blätter
4 Aprikosen
2 dl/200 ml Mineralwasser
mit Kohlensäure
2 dl/200 ml Prosecco oder
Champagner

Zitronenverveine für die Garnitur

1. Wein, Gewürze,
Zitronen- und Limettenscheiben
aufkochen, Pfanne von der
Wärmequelle nehmen, Zitronenverveine zufügen, nicht länger
als 15 Minuten ziehen lassen.
Absieben. Kühl stellen.
2. Aprikosen halbieren,
entsteinen, Stielansatz keilförmig
herausschneiden, Frucht-
hälften in Würfelchen (Brunoise)
schneiden, zur Bowle geben.
Mineralwasser und Prosecco
zugeben. Nochmals kühl stellen.
Mit fein geschnittener
Zitronenverveine garnieren.
Varianten Aprikosen durch
Nektarinen, Erdbeeren oder
Johannisbeeren, Zitronenverveine
durch Waldmeister oder Minze
ersetzen.

BOWLE AUX ABRICOTS

AVEC VERVEINE CITRONNELLE

APÉRITIF

pour 1½ litre de bowle

1 l de vin blanc fruité
½ bâton de cannelle
½ gousse de vanille
20 g de gingembre pelé en
lamelles
100 g de sucre
½ citron non traité, en tranches,
sans pépins
½ limette en tranches, sans
pépins
1 poignée de feuilles de verveine
citronnelle
4 abricots
2 dl d'eau minérale gazéifiée
2 dl de prosecco ou de
champagne

verveine citronnelle pour décorer

1. Porter le vin blanc, les
épices, le citron et la lime à
ébullition, retirer du feu, ajouter
la verveine citronnelle, laisser
tirer 15 minutes au plus. Passer
et placer au réfrigérateur.
2. Couper les abricots en
deux, retirer les noyaux et la tige
et débiter la chair en petits
cubes (brunoise). Ajouter au
bowle et verser le champagne et
l'eau minérale. Placer au
frais. Décorer avec de la verveine
citronnelle finement ciselée.
Variante Remplacer les
abricots par des nectarines, des
fraises ou des raisinets, la
verveine par de la menthe ou de
l'aspérule odorante.

REFRESHING APRICOT PUNCH WITH LEMON VERBENA

APERITIF

for 1½ l of punch

1 l fruity white wine
½ piece cinnamon
½ vanilla pod
20 g ginger, peeled, in slices
100 g sugar
½ organic lemon, in slices,
without pips
½ lime, in slices, without pips
1 handful lemon verbena leaves
4 apricots
200 ml mineral water with gas
200 ml Prosecco or Champagne

lemon verbena to garnish

1. Bring to boil white
wine, spices, lemon and lime,
remove pan from stove, add the
lemon verbena, steep for
max. 15 minutes. Sieve, let cool.
2. Halve the apricots,
remove stones, cut out a wedge
from base of stalk, dice flesh
(Brunoise), add to wine.
Add mineral water and Prosecco.
Let cool once again. Garnish
with finely cut lemon verbena.
Variation Apricots can
be replaced with nectarines,
strawberries or gooseberries.
Lemon verbena can be replaced
with woodruff or mint leaves.

GEBRATENES FILET VON DER «THUNERSEE»-ÄSCHE MIT KRUSTE AUS «STEFFISBURGER» TOPINAMBUR

MAHLZEIT

1 TL Butter
1 TL Olivenöl
4 Äschenfilets, je 120 g

Kruste

1 EL Olivenöl
200 g Topinambur
100 g weiche Butter
2 Thymianzweiglein
40 g Toastbrotwürfelchen
2 Knoblauchzehen
1 Eigelb
wenig Zitronensaft
Salz, Pfeffer, Cayennepfeffer

1. Topinambur schälen und würfeln, im Olivenöl knusprig braten.
2. Die Butter mit Schneebesen luftig aufschlagen, abgezupfte Thymianblättchen, Brotwürfelchen, durchgepresster Knoblauch, Topinambur und Eigelb mit der Butter sorgfältig vermengen, würzen.
3. Fischfilets in der Butter-Olivenöl-Mischung beidseitig kurz anbraten, mit der Hautseite oben in die Gratinform legen, reichlich Buttermischung darauf verteilen. Bei starker Oberhitze gratinieren.

FILET D'OMBRE DE «THOUNE» EN CROÛTE DE TOPINAMBOUR DE «STEFFISBOURG»

REPAS

1 cc de beurre
1 cc d'huile d'olive
4 filets d'ombre, 120 g chacun

Croûte

1 cs d'huile d'olive
200 g de topinambour
100 g de beurre ramolli
2 branches de thym
40 g de mie pain, en petits dès
2 gousses d'ail
1 jaune d'œuf
un peu de jus de citron
sel, poivre, poivre de Cayenne

1. Peler les topinambours, les couper en dés et les faire frire bien croustillants dans l'huile.
2. Battre au fouet le beurre en mousse, incorporer délicatement les feuilles de thym, la mie de pain, l'ail pressé, les topinambours et le jaune d'œuf. Rectifier l'assaisonnement.
3. Rôtir brièvement les filets de poisson des deux côtés dans le mélange huile d'olive-beurre, les déposer sur un plat à gratin peau vers le haut et y étendre la masse pour la croûte. Faire gratiner au four à forte chaleur dans le haut.

FRIED «LAKE THUN» GRAYLING FILETS WITH CRUST OF «STEFFISBURGER» JERUSALEM ARTICHOKES

MAIN DISH

1 tsp butter
1 tsp olive oil
4 grayling filets, 120 g each

Crust

1 tbsp olive oil
200 g Jerusalem artichokes
100 g soft butter
2 twigs of thyme
40 g diced toast
2 clovers of garlic
1 egg yolk
a little lemon juice
salt, pepper, cayenne

1. Peel and dice Jerusalem artichokes, fry in olive oil until crispy.
2. Whisk butter until frothy, carefully mix in thyme leaves, diced toast, pressed clover garlic, Jerusalem artichokes and egg yolk, season.
3. Quickly fry fish filets in the butter and olive oil mixture on both sides, place the fish filets in a baking dish with skin upwards, spread ample of the butter mixture over it and grill at high temperature.

GRÜNER SPARGEL

MIT «LENKER» ROHSCHINKEN IM BLÄTTERTEIG

MAHLZEIT

16 grüne Spargel
160 g Lenker Rohschinken
200 g ausgerollter Blätterteig
1 Eigelb, wenig Rahm/Sahne

Kresseschaumsauce

1 EL Olivenöl, 2 kleine Schalotten
je 20 g Knollensellerie und
weißer Lauch
1 dl/100 ml Weißwein
1½ dl/150 ml heller Geflügelfond
1 dl/100 ml Rahm/Sahne
1 Handvoll Kresse, gehackt

1. Untere Hälfte des Spargels schälen, Schnittstelle 2 cm kürzen. Im Dampf knackig garen.

2. Schalotten, Sellerie und Lauch putzen/schälen und in kleine Würfel schneiden, im Olivenöl 5 Minuten dünsten, mit Wein und Geflügelfond ablöschen, 15 Minuten köcheln. Vor dem Servieren Rahm zugeben, aufkochen, mixen, Kresse zugeben, erneut mixen.

3. Blätterteig in Vierecke von 8 cm x 12 cm schneiden, mit Rohschinken belegen, je vier Spargel einwickeln. Auf ein Blech legen, Eigelb mit wenig Rahm verdünnen, Teigpäckchen einpinseln. Im vorgeheizten Ofen bei 200 °C 12 Minuten backen.

4. Die Blätterteigpäckchen halbieren, mit restlichem Rohschinken und Kresse garnieren, mit Kressesauce umgießen.

ASPERGES VERTES AVEC

JAMBON CRU DE «LENK» EN CROÛTE

REPAS

16 asperges vertes, 160 g
de jambon cru de la Lenk, en
tranches, 200 g de pâte feuilletée
abaissée, 1 jaune d'œuf
crème entière

Mousse au cresson

1 cs d'huile d'olive, 2 petites
échalotes, 20 g de céleri-rave
20 g de poireau blanc
1 dl de vin blanc, ½ dl de fond de
volaille clair, 1 dl de crème entière
1 poignée de cresson haché
cresson pour décorer

1. Peler le tiers du bas des asperges, ôter 2 cm en bas. Les faire cuire à la vapeur.

2. Pour la sauce, préparer les échalotes, le céleri et le poireau et les débiter en petits morceaux. Faire revenir les légumes dans l'huile d'olive durant 5 minutes, ajouter le jus de volaille et le vin, laisser mijoter 15 minutes. Avant de servir, ajouter la crème entière et mixer. Ajouter le cresson, mixer.

3. Couper la pâte en rectangles de 8 x 12 cm, y déposer le jambon, emballer quatre asperges, les déposer sur une plaque à gâteau. Badigeonner avec le jaune d'œuf dilué avec un peu de crème, les faire cuire au four, 12 minutes à 200 °C.

4. Couper les rouleaux en 2, les disposer sur les assiettes, décorer avec le reste de viande, du cresson, napper de mousse.

GREEN ASPARAGUS

WITH AIR CURED HAM FROM «LENK» IN FLAKY PASTRY

MAIN DISH

16 green asparagus
160 g Lenker air cured ham
200 g rolled out flaky pastry
1 egg yolk, a little cream

Chervil mousse

1 tbsp olive oil, 2 small shallots
20 g celeriac and white leek each
100 ml white wine, 150 ml clear
chicken broth, 100 ml cream,
1 handful of garden cress,
chopped, cress to garnish

1. Peel lower part of asparagus, shorten about 2 cm. Steam for a few minutes.

2. Clean/peel shallots, celeriac, leek and dice and fry in olive oil for about 5 minutes, now dowse with white wine and chicken broth, simmer for 15 minutes. Before serving add cream, bring to boil, mix, add cress, mix again.

3. Cut flaky pastry into rectangles of 8 cm x 12 cm, place raw ham on them, wrap four asparagus into each rectangle. Place on baking tin, brush with egg yolk that has been diluted with cream. Bake in preheated oven at 200 °C for 12 minutes.

4. Halve the asparagus packages, arrange on plates, garnish with the remaining raw ham and cress, and pour the cress sauce around the packages.

SALAT VON DER BLAUEN URKARTOFFEL MIT

GEBRATENEM «SIMMENTALER» KALBSKOPFBÄGGLI

MAHLZEIT

600 g blaue Urkartoffeln
0,8 dl/80 ml Olivenöl
2 Schalotten, 1 Knoblauchzehe
1 EL grobkörniger Senf
0,4 dl/40 ml Apfelessig
1½ dl/150 ml Geflügelfond
Salz, frisch gemahlener Pfeffer
1 Handvoll Friséesalat
100 g Sauerrahm/saure Sahne

4 Kalbskopfbäggli, in der Brühe
gekocht, abgekühlt
Salz, Pfeffer
1 Ei, Mehl, Paniermehl
100 g Bratbutter/Butterschmalz

1. Kartoffeln in der Schale im Dampf weich kochen, wenig abkühlen lassen, schälen, in Scheiben schneiden.

2. Schalotten und Knoblauch fein hacken, im Olivenöl andünsten, von der Wärmequelle nehmen, Senf, Essig und Geflügelbrühe unterrühren, abschmecken. Über lauwarme Kartoffelscheiben verteilen. Einige Stunden ziehen lassen.

3. Fleisch in 1 cm dicke Scheiben schneiden, würzen, mit Mehl bestäuben, in verquirltem Ei und Paniermehl wenden, in der Bratbutter beidseitig braten.

4. Kartoffelsalat anrichten, den Sauerrahm darüber verteilen, mit Blattsalat garnieren, Kalbskopfbäggli darauflegen.

SALADE DE POMMES DE TERRE BLEUES

AVEC JOUES DE VEAU DU «SIMMENTAL» GRILLÉES

REPAS

600 g de pommes de terre bleues
0,8 dl d'huile d'olive
2 échalotes, 1 gousse d'ail
1 cs de moutarde à l'ancienne
0,4 dl de vinaigre de pomme
1½ dl de bouillon de volaille corsé
sel, poivre noir
1 poignée de salade frisée
100 g de crème acidulée

4 joues de veau, cuites dans
le bouillon, refroidies, sel, poivre
1 œuf, farine et chapelure
100 g de beurre à frire

1. Faire cuire les pommes de terre à la vapeur, les laisser refroidir un peu, les peler et les débiter en tranches.

2. Hacher finement échalotes et ail et les faire revenir dans l'huile d'olive. Les retirer du feu, ajouter moutarde, vinaigre et bouillon de volaille, saler, poivrer. Verser sur les pommes de terre, laisser tirer plusieurs heures.

3. Débiter la viande en tranches de 1 cm d'épaisseur, saler, poivrer, saupoudrer de farine, passer dans l'œuf battu et la chapelure, dorer les tranches des deux côtés dans la poêle.

4. Disposer la salade de pommes de terre en cercle sur les assiettes, asperger de crème acidulée, décorer avec la salade frisée et y déposer les tranches de joues de veau.

SALAD OF BLUE «URKARTOFFEL»

WITH FRIED «SIMMENTAL» CHEEK OF CALF'S HEAD

MAIN DISH

600 g blue ur-potatoes
80 ml olive oil, 2 shallots
1 clover of garlic
1 tbsp coarse mustard
40 ml apple vinegar
150 ml strong chicken broth
salt, freshly ground pepper
1 handful frisée salad
100 g sour cream

4 cheeks of calf's head,
boiled in broth, left to cool
salt, pepper
1 egg, flour, breadcrumbs
100 g cooking butter

1. Boil unpeeled potatoes, let cool for a bit, peel and cut in slices.

2. Chop shallots and clover of garlic finely, fry in olive oil, remove from stove, stir in mustard, vinegar and chicken broth, season with salt and pepper. Distribute over warm potatoe slices. Steep for a couple of hours.

3. Cut meat into 1 cm thick slices, season, dust with flour, dip into the whisked egg and then into breadcrumbs, fry on both sides in the butter.

4. Make a circle on the plates with the potato salad, distribute sour cream over it, garnish with the frisée salad, and add the calves head cheeks.

«BRÄGEL»
MIT KIRSCHKOMPOTT

DESSERT

300 g Weißmehl, 90 g Puderzucker, 1 TL Backpulver, 1 Prise
Salz ,1 dl/100 ml Rahm/Sahne
2 dl/200 ml Milch, 2 Freilandeier
2 Eigelbe von Freilandeiern
½ Vanilleschote, aufgeschnitten
2 EL Kirsch, 2 Eiweiß, 2 EL Zucker
70 g Butter

1. Mehl, Puderzucker, Backpulver und Salz mischen und
eine Vertiefung drücken. Rahm,
Milch, Eier, Eigelbe, abgestreiftes
Vanillemark und Kirsch ver-
quirlen, in die Vertiefung gießen,
Mehl unterrühren. Im Kühlschrank 2 Stunden ruhen lassen.
2. Den Backofen auf
180 °C vorheizen.
3. Eiweiß halb steifschlagen,
Zucker zugeben, Masse steifschlagen, unter den Teig ziehen.
4. ⅔ Butter in einer Bratpfanne schmelzen, Teig zugeben.
Pfanne in der Mitte in den
Ofen schieben, Brägel bei 180 °C
8 Minuten backen. Mit zwei
Gabeln in Stücke reißen. Restliche Butter beigeben, auf
dem Herd nochmals kurz braten.
Mit Puderzucker bestäuben.

Weichselkirschkompott
300 g entsteinte Weichseln,
1½ dl/150 ml Weißwein und
150 g Zucker erhitzen, Kompott
bei schwacher Hitze 15 Minuten
köcheln, erkalten lassen,
mit 1–2 EL Kirsch parfümieren.

«BRÄGEL»
AVEC COMPOTE DE GRIOTTES

DESSERT

300 g de farine blanche, 90 de
sucre glace, 1 cc de poudre à
lever, 1 pc de sel, 1 dl de crème
entière, 2 dl de lait, 2 œufs,
2 jaunes d'œufs, ½ gousse de
vanille 2 cs de kirsch, 2 blancs
d'œufs, 2 cs de sucre, 70 g de
beurre

1. Mélanger farine, sucre
glace, poudre à lever et sel,
faire une fontaine. Battre crème
entière, lait, œufs, jaunes
d'œufs, pulpe de vanille et
kirsch, verser le mélange dans la
fontaine. Incorporer la farine petit
à petit en fouettant. Laisser
reposer 2 heures au réfrigérateur.
2. Préchauffer le four à
180 °C.
3. Battre les blancs d'œufs
mi solides, ajouter le sucre, battre
la masse en neige et incorporer
délicatement à la pâte.
4. Faire fondre ⅔ du beurre
dans une poêle. Ajouter la
pâte, faire cuire au milieu du four
8 minutes à 180 °C. Déchirer
la masse au milieu avec 2 four-
chettes, y ajouter le reste
du beurre. Faire frire brièvement
sur la plaque, saupoudrer de
sucre glace.

Compote de griottes Faire
chauffer 300 g de griottes
dénoyautées, 1½ dl de vin blanc
et 150 g de sucre. Laisser
mijoter durant 15 minutes, laisser
refroidir. Parfumer avec
1–2 cs de kirsch.

«BRÄGEL»
WITH STEWED CHERRIES

DESSERT

300 g white flour
90 g powdered sugar
1 tsp baking powder, 1 pinch salt
100 ml cream, 200 ml milk
2 free-range eggs
2 egg yolks from free-range eggs
½ vanilla pod, sliced open
2 tbsp Kirsch, 2 egg whites
2 tbsp sugar, 70 g butter

1. Mix flour, powdered
sugar, baking powder and salt
in a bowl, make a dent in
the middle. Whisk cream, milk,
eggs, egg yolks, inside of
vanilla pod and Kirsch, pour into
the dent, stir flour gradually
with the egg whisk. Let dough
steep for 2 hours in the
refrigerator.
2. Preheat oven to 180 °C.
3. Whisk egg white until
half stiff, add sugar, whisk
until stiff and carefully fold into
the dough.
4. Melt ⅔ of the butter
in a frying pan, add the dough.
Place pan in the middle of
oven, bake Brägel at 180 °C for
8 minutes. Tear the Brägel
in small pieces with 2 forks. Add
rest of butter; fry quickly
once again on stove. Dust with
powdered sugar.

Stewed sour cherries Bring
to boil 300 g of sour cherries
without stones, 150 ml of white
wine and 150 g of sugar, let
simmer for 15 minutes, let cool,
flavour with 1 to 2 tbsp of Kirsch.

EINGEMACHTE PFIRSICHE

DESSERT

für 2 Gläser

Pfirsichkompott

8 Pfirsiche
8 frische oder getrocknete
Lindenblüten
½ Vanilleschote, aufgeschnitten
300 g Zucker
2 dl/200 ml Holunderblütensirup
1 l Wasser
10 g Zitronensäure

Holunderblütensirup

12 Holunderblütendolden
1 l Wasser
1 Zitrone, in Scheiben
1 kg Zucker je Liter Flüssigkeit
10 g Zitronensäure

Sauerrahmeis

¾ l Sauerrahm/saure Sahne
225 g Zucker
1 unbehandelte Zitrone,
abgeriebene Schale und Saft
1 dl/100 ml Rahm/Sahne

Holunderblütensirp

Das Wasser aufkochen und
über die Holunderblütendolden
gießen, die Zitronenscheiben
zugeben, über Nacht ziehen
lassen. Durch ein Sieb passieren.
Die Flüssigkeit mit der ent-
sprechenden Zuckermenge und
der Zitronensäure aufkochen.
In Flaschen füllen, verschließen.

Fortsetzung Seite 70

CONSERVES DE PÊCHES

DESSERT

pour 2 verres

Compote de pêches

8 pêches
8 fleurs de tilleul fraîchement ou
séchées
½ gousse de vanille incisée
300 g de sucre
2 dl de sirop de fleurs de sureau
1 l d'eau
10 g d'acide citrique

Sirop de fleurs de sureau

12 panicules de leurs de sureau
1 l d'eau
1 citron coupé en tranches
1 kg de sucre par litre de liquide
10 g d'acide citrique

Glace à la crème acidulée

¾ l de crème acidulée
225 g de sucre
1 citron non traité, zeste râpé
et jus
1 dl de crème entière

Sirop de fleurs de sureau

Porter l'eau à ébullition et
la verser sur les fleurs de sureau.
Ajouter les tranches de citron
et laisser tirer durant la
nuit. Passer, ajouter la quantité
de sucre nécessaire et l'acide
citrique et porter à ébullition. Verser dans des bouteilles
et fermer immédiatement.

suite à la page 70

PRESERVED PEACHES

DESSERT

for 2 glass bowls

Preserved peaches

8 peaches
8 fresh or dried lime-tree
blossoms
½ vanilla pod, sliced open
300 g sugar
200 ml elderflower syrup
1 l water
10 g ascorbic acid

Elderflower syrup

12 twigs elderberry blossoms
1 l water
1 lemon, in slices
1 kg sugar per litre of liquid
10 g ascorbic acid

Sour cream ice-cream

¾ l sour cream
225 g sugar
1 organic lemon, zest and juice
100 ml Cream

Elderflower syrup

Bring water to boil, pour over
elderflowers, add slices of
lemon, let steep over night. Pass
through sieve. Bring liquid to
boil adding according amount of
sugar per litre and the ascorbic
acid. Fill into bottles, close
immediately.

continued page 70

Fortsetzung von Seite 68   suite de la page 68   continued from page 68

Pfirsiche einmachen

Pfirsiche halbieren und den Stein entfernen, Stielansatz keilförmig herausschneiden. Fruchthälften in einem Schaumlöffel in kochendem Wasser rund 1 Minute blanchieren (sofort in Eiswasser kühlen), die Fruchthaut vorsichtig abziehen, Pfirsichhälften mit Lindenblüten und aufgeschnittener Vanilleschote in die Einmachgläser füllen. Zucker, Holunderblütensirup, Wasser und Zitronensäure kurz aufkochen, die Früchte damit knapp bedecken. Gläser verschließen. Sterilisieren in einem ganz normalen Kochtopf: Er muss etwas höher als die Gläser sein und über einen gut schließenden Deckel verfügen (kein Dampfkochtopf). Auf den Pfannenboden ein zusammengefaltetes Küchentuch legen. Gläser daraufstellen. Topf bis auf ein Viertel Glashöhe mit kaltem Wasser füllen, Deckel aufsetzen. Auf höchster Stufe aufkochen. Wenn das

Compote de pêches

Couper les pêches en deux, ôter le noyau et la tige. Avec une écumoire, tremper les moitiés de fruit 1 minute dans l'eau bouillante, les tremper ensuite dans de l'eau glacée puis retirer la peau. Placer les moitiés de pêches dans de bocaux à conserve en ajoutant les fleurs de tilleul et la gousse de vanille incisée. Porter brièvement à ébullition le sucre, le sirop de fleurs de sureau, l'eau et l'acide citrique et verser sur les fruits en les couvrant de liquide. Fermer les bocaux et les stériliser dans une marmite normale. Elle doit être un peu plus haute que les bocaux et avoir un couvercle fermant bien (pas de marmite à vapeur). Déposer une serviette en toile dans le fond de la marmite, y déposer les bocaux et remplir d'eau la marmite jusqu'au premier quart des bocaux. Couvrir la marmite. Porter à ébullition et réduire la température juste avant le point d'ébullition de

Preserved peaches

Halve peaches, remove stones, cut out wedges at the base the stem. Blanch peach halves in a ladle dipped in boiling water for one minute (chill in ice water immediately), carefully peel off skin. Fill peach halves, limetree flowers and open vanilla pod into preserving jars. Bring to boil sugar, elderflower syrup, water and ascorbic acid and cover fruit with the liquid. Close bottles. Sterilise in a normal cooking pan, which must be a bit higher than the glass jars and have a tightly fitting lid (do not use a steam cooker). Lay a folded kitchen cloth on the bottom of the pot. Place the glass jars on it. Fill the pot with cold water to $1/4$ of height of glass jars, put on the lid. Bring to boil at the highest level. When water has come to boil, lower the heat. Water must simmer on a constant level. When there are little bubbles rising inside the preserving jars, the contents are at boiling point. Sterilising time: 20 to 30 minutes. Sterilising in a special sterilising pot/oven: fellow instructions of the manufacturer.

Wasser den Kochpunkt erreicht hat (das Wasser sprudelt), auf kleinere Stufe zurückschalten. Das Wasser muss konstant leicht kochen. Wenn im Glas kleine Bläschen aufsteigen, kocht der Glasinhalt. Sterilisierzeit: 20 bis 30 Minuten. Sterilisieren im Sterilisiertopf/Backofen: siehe Anleitung Gerätehersteller.

Sauerrahmeis

Alle Zutaten gut verrühren, in der Eismaschine gefrieren lassen. 30 Minuten vor dem Servieren in den Kühlschrank stellen.

l'eau. L'eau doit constamment frémir. Si de petites bulles se dégagent dans les bocaux, le contenu bout. Durée de stérilisation: 20 à 30 minutes. Pour stériliser dans l'appareil à stériliser, veuillez consulter le mode d'emploi.

Glace à la crème acidulée

Bien mélanger les ingrédients et les congeler dans la glacière. Retirer la glace 30 minutes avant de la servir.

Sour cream ice-cream

Mix all ingredients, freeze in ice-cream machine. Place in refrigerator for 30 minutes before serving.

SCHON IM MORGENGRAUEN AUF DER PIRSCH.
A LA CHASSE DÈS LE CRÉPUSCULE.
DEERSTALKING AT DAWN.

HANS-RUDOLF STOLLER, ROLAND WYSS

Je näher der September kommt, desto kribbeliger werden die beiden bodenständigen Männer. Und wenn dann endlich der 10. September da ist, dann gibt es für Hans-Rudolf Stoller und Roland Wyss kein Halten mehr. Nun dürfen die Gämse gejagt werden – drei Wochen lang, bis Ende Monat. So steigen die zwei Freunde den Berg hoch und quartieren sich oft tagelang auf 1750 m in ihrem winzigen Jagdhüttli am Fuße des Eigermassivs ein und pirschen sich dann jeweils im Morgengrauen an die Gämse heran, folgen ihnen über Stock und Stein. Mit Feldstecher und Fernrohr suchen sie die Hänge ab, sie wissen, wo sich die Tiere am liebsten aufhalten, sie kennen die Hänge und Wälder und Felskanten wie ihre Hosentasche, haben sie seit bald 20 Jahren immer wieder durchwandert und erklettert.

Dès que le mois de septembre approche, les deux solides gaillards deviennent impatients. Et dès le 10 septembre, Hans-Rudolf Stoller et Roland Wyss ne tiennent plus en place. C'est le début de la chasse au chamois qui dure trois semaines. Ils grimpent dans la montagne et prennent leur quartier pour plusieurs jour dans leur minuscule cabane de chasse à 1750 m d'altitude au pied de l'Eiger. Dès l'aube, ils cherchent et traquent le chamois, le poursuivant par-dessus pics et roches. Avec lunettes d'approche et longue-vue, ils inspectent les parois. Ils savent où se trouvent généralement les animaux, car ils connaissent le terrain, les rochers et les forêts comme leurs poches puisqu'ils parcourent cette région depuis plus de vingt ans.

The closer September gets, the more edgy these two down-to-earth men get. And when the 10th of September has finally arrived, there is no more holding back for Hans-Rudolf Stoller and Roland Wyss. As from this date the chamois may be hunted – for three weeks only until the end of the month. Thus the two friends climb up the mountain and accommodate themselves for days in their tiny hunting-cabin at the foot of the Eiger on 1750 meters above sea level, stalk the chamois at dawn, follow them over rough and smooth. With binoculars and telescope they search the slopes, they know where the animals prefer to be the most, they know the slopes and woods and rocks like their own pockets, have hiked and climbed in them for the last twenty years.

Die Gämsjagd ist eine anspruchs-
volle Hochjagd. Es darf nur
mit der Kugelbüchse, dem
«Stutzen», geschossen werden.
Die gesetzlichen Vorschriften
sind streng: Zwei Tiere je Mann
pro Jahr sind erlaubt, ent-
weder ein Bock und eine Geiß,
oder ein Bock und ein Jahr-
tier, oder eine Geiß und ein Jahr-
tier. Kommt den Jägern das
richtige Tier vor die Büchse, wird
es erlegt und sogleich vor
Ort ausgeweidet. Die Leber
des Tieres, so will es der
Brauch und das Jagdrecht, dient
als Freudenmahl der Jäger.
Das Fleisch wird fachgerecht
ausgeweidet, aber in der
«Decke» – dem Fell – belassen.
Auf den Schultern tragen
die beiden Freunde das Tier
hinunter ins Tal, oft stundenlang,
manchmal müssen sie es bei
allzu steilen Felsen abseilen. Das
braucht Kraft und Ausdauer.
Ein ausgewachsener Gämsbock
wiegt immerhin rund 40 kg
und bringt ausgeweidet immer
noch gute 30 kg auf die
Schultern. Zuhause dann, bei

La chasse au chamois est
très exigeante. Il est permis de
tirer uniquement avec des
carabines. Les prescriptions
légales sont sévères: deux bêtes
par chasseur et par année,
soit un bouc et une chèvre ou
un bouc et un éterle (jeune
animal d'un an) ou encore une
chèvre et un éterle. Si les
chasseurs tirent l'animal voulu,
ils le vident immédiatement,
sur place. Selon la coutume,
le foie de l'animal revient
au chasseur. L'animal est soig-
neusement dépecé, mais
la viande reste dans la «couver-
ture», soit la peau. Les heu-
reux chasseurs transportent alors
l'animal sur leur dos vers
la vallée, souvent durant des
heures. Il arrive même qu'
ils doivent le descendre au moyen
d'une corde. Un travail
pénible puisqu'un chamois peut
facilement peser 30 kilos.
Chez les Stohler à Wilderswil
ou la famille Wyss à Grindelwald,
la viande est rassie, toujours
dans sa peau ce qui lui confère
son véritable goût.

The chamois hunt in the heights
is demanding and shooting is
only permitted with the so-called
«Stutzen», a ball-type nipple.
The legal regulations are very
strict: Two animals per hunter per
year are permitted, either a
male and a female chamois, or
a male and a one-year-old
animal, or a female and a one-
year-old animal. When the
right animal gets within
the range of the hunter's rifles,
it is shot and disembowelled
then and there. The animal's liver,
such is the custom and the
shooting right, serves as hunters
feast. The meat is professio-
nally disembowelled but is left
inside the coat. The two
friends carry the animal down to
the valley on their shoulders,
often for hours; sometimes
if the rocks are very steep, they
even have to let it down by
rope. That needs strength
and stamina. After all, a grownup
male chamois ways about
40 kilograms, and when disembowelled still even 30 kilograms. At home, at the Stohler

den Stollers in Wilderswil und bei der Familie Wyss in Grindelwald, wird das Fleisch zur Reifung abgehangen, immer noch im Fell, was für Geschmack und Reifegrad wichtig ist.

Auf die Gämsjagd folgt nahtlos die Niederjagd: Das Reh darf zwischen dem 1. Oktober und dem 15. November erlegt werden, aber nur jeweils am Montag, Mittwoch und Samstag. Hier kommt dann «Cisko» zum Einsatz, der schwarz-weiß-braune Berner Niederlaufhund von Roland Wyss, dessen Aufgabe das Aufspüren und Treiben des Rehwildes ist. Auch hier darf jeder Jäger in den Wildräumen des Berner Oberlandes nur zwei Tiere erlegen.

La chasse au chamois est immédiatement suivie de la chasse en plaine. Du 1er au 15 octobre, on peut chasser le chevreuil le lundi, le mercredi et le samedi. C'est à ce moment que «Cisko» entre en action, soit le courant bernois tricolore de Roland Wyss. Sa tâche est de dépister et de poursuivre les chevreuils. Pour ce type de chasse, la limite se situe aussi à deux animaux par chasseur.

family in Wilderswil and the Wyss family in Grindelwald, the meat, still inside the coat – which is important for taste of meat and degree of curing – is hung up to cure. After the chamois hunt, the hunt in the lower region begins without delay: The deer can be shot from October 1st to November 15th, but only on Mondays, Wednesdays and Saturdays. Now «Cisko», Roland Wyss' tricolored Bernese Niederlauf hound who's job it is to spy out and to drive the deer, comes into action. On this hunt hunters are only allowed to shoot two animals each too.

Einheimisches Wild ist eine gesuchte Rarität. Gute Küchenchefs lassen hier gerne ihre Beziehungen spielen, um dazuzukommen und die Gäste mit einem reichhaltigen Wildangebot verwöhnen zu können. Ansonsten bekommt der Gast Importware vorgesetzt, die gefroren und bereits zerteilt vorwiegend aus Osteuropa eingeführt wird. Dieses Problem kennt Urs Wandeler nicht: Die erlegenen Tiere, welche Hans-Rudolf Stoller und Roland Wyss zusammen schießen dürfen, wandern mehrheitlich in seine Küche. Die Wildspezialitäten, die daraus entstehen, finden reißenden Absatz – Wandeler würde daher liebend gern ein paar Tiere mehr kaufen. Aber die Limiten, welche der Kanton jährlich festlegt, werden immer tiefer, je mehr sich die Bestände verkleinern – aus Umweltgründen, aber auch, weil immer mehr unberührte Naturgebiete für den Tourismus erschlossen werden. Vor dreißig

Le gibier local est une denrée très recherchée. Les chefs de cuisine soignent leurs relations pour s'approvisionner et pouvoir présenter une carte de chasse variée. Sinon, les clients mangent de la viande importée, congelée et en morceaux, généralement d'Europe de l'Est. Urs Wandeler ne connaît pas ce problème. Les animaux que Hans-Rudolf Stoller et Roland Wyss ont le droit de chasser arrivent en majorité dans sa cuisine. Les spécialités de chasse qui en résultent trouvent de nombreux amateurs, de sorte que le chef voudrait bien se procurer quelques animaux supplémentaires. Mais avec la diminution de la faune, les limites de chasse fixées par le canton sont de plus en plus restrictives. Les conditions environnementales et le tourisme s'appropriant de plus en plus de surface sont la cause de la diminution de la population animale. Il y a trente ans, nous racontent les deux chasseurs de Grindelwald, chaque chasseur pouvait encore tirer

Domestic venison is a sought-after rarity. Good chefs pull their strings to be able to provide a generous variety on the menu. If not successful, guests would have to be served products, mainly from Eastern Europe, imported already frozen and pre-portioned. Urs Wandeler does not know this problem: Most of the deer which Hans-Rudolf Stoller and Roland Wyss are allowed to shoot together, go into his kitchen. Dishes made out of these catches are greatly in demand – Wandeler would therefore love to buy a few more animals. But the limited number the canton determines every year, is getting lower and lower, the smaller the population gets – for ecological reasons, but also because more and more unspoiled landscape is being made accessible for tourists. Thirty years ago, as the two Grindelwald hunters remember, one was allowed to shoot five or more animals … today this is past and gone.

Jahren, so berichten die
beiden Grindelwalder Jäger,
hätte man noch fünf und mehr
Tiere schießen dürfen. Damit
ist es heute vorbei. Trotzdem
macht den beiden ihr Hobby viel
Freude. Es ist ein Ausgleich
zum Beruf, den sich Polizist
Stoller und der Jungfraubahn-
Angestellte Wyss leisten
und auch etwas kosten lassen.
Denn mit dem Jagdpatent
von zirka 1200 Franken ist es
noch lange nicht getan,
es braucht auch noch eine Aus-
rüstung mit Gewehren, Fernrohr, Feldstecher und geeignetem
Schuhwerk. Und das Jagd-
horn, das Stoller und Wyss bei
Festen der Jagdgesellschaft
mit Inbrunst blasen.

cinq têtes, voire plus. Malgré
ces limites, ils restent des
chasseurs passionnés. Pour
le policier Stoller et le cheminot
Wyss, c'est un dépaysement
qui leur vaut l'engagement. Car
en plus de la patente de
chasse de 1200 francs, il reste
à payer l'équipement en
fusils, lunettes et chaussures
adaptées, de même que
trompe de chasse que tous deux
jouent au sein de la Société
des chasseurs.

Nevertheless, they enjoy their
hobby a lot. For policeman Stoller
and railway worker Wyss it is
a compensation for work,
although it is quite an expensive
indulgence. 1200 Swiss francs
for the hunting patent are
not sufficient by far. They also
need a kit with rifles, telescope, binoculars and proper
boots. And of course the
hunting horn Stoller and Wyss
love to blow with fervour
at the feasts of the hunter's guild.

MARINIERTES «LENKER» TROCKENFLEISCH
MIT GESCHMORTEM FENCHEL

VOSPEISE

160 g Mostbröckli,
in feinen Scheiben
kalt gepresstes Rapsöl
4 EL weißer Balsamico
Fenchelkraut für die Garnitur

2 Fenchel
1 EL flüssige Butter
Fleur de Sel
frisch gemahlener Pfeffer
einige Rosmarinnadeln

1. Grobfasrige Teile
beim Fenchel entfernen. Eine
Alufolie von 25 cm x 25 cm
Größe mit der flüssigen Butter
bepinseln, mit Fleur de Sel,
Pfeffer und Rosmarin bestreuen,
Fenchel in die Mitte legen,
in die Folie einwickeln. Im Backofen bei 180 °C 3 Stunden
schmoren. Fenchel aus der Folie
nehmen und erkalten lassen.
2. Geschmorten Fenchel in
Streifen schneiden, anrichten,
Mostbröckli dazulegen, mit
Rapsöl und Balsamico beträufeln,
mit Pfeffer abschmecken,
mit Fenchelkraut garnieren.

VIANDE SÉCHÉE DE LA «LENK»
AVEC FENOUIL ÉTUVÉ

ENTRÉE

160 g de «Mostbröckli»
en fines tranches
huile de colza pressée à froid
4 cs de balsamico blanc
verdure de fenouil pour décorer

2 fenouils
1 cs de beurre liquide
fleur de sel
poivre noir du moulin
quelques aiguilles de romarin

1. Retirer les grosses fibres
du fenouil. Badigeonner de
beurre une feuille de 25 x 25 cm
de papier alu, saupoudrer de
sel, poivre et de romarin, déposer
le fenouil au centre, fermer
le paquet. Etuver au four, environ
3 heures à 180 °C. Retirer
le fenouil de la feuille en alu et
le laisser refroidir.
2. Débiter le fenouil en
tranches et les disposer sur un
plat. Répartir la viande sur le plat
et arroser d'huile de colza et
de balsamico blanc. Poivrer et
décorer avec la verdure.

MARINATED AIR-CURDED BEEF FROM «LENK»
WITH BRAISED FENNEL

STARTER

160 g «Mostbröckli»,
in thin slices
cold pressed rapeseed oil
4 tbsp white Balsamico
fennel leaves to garnish

2 fennel
1 tbsp fluid butter
fleur de sel (sea salt)
freshly ground pepper
a couple rosemary needles

1. Remove coarse parts
from the fennel. Brush a 25 cm x
25 cm piece of aluminium
foil with fluid butter, sprinkle
with salt, pepper and rosemary
needles, place fennel in
the centre and wrap with the foil.
Braise in oven at 180 °C for
3 hours. Remove fennel from the
foil and let cool.
2. Cut fennel in stripes,
arrange on a platter, add
the air-cured meat, sprinkle with
the rapeseed oil and the
Balsamico, season with pepper
and garnish with fennel
leaves.

KALBSLEBERPÂTÉ
MIT SÜSSSAUREN KIRSCHEN

VORSPEISE

250 g Kalbsleber
50 g Schweinefleisch
50 g geräucherter Speck
20 g Zwiebeln
1,7 dl/170 ml Rahm/Sahne
2 Freilandeier, verquirlt
Salz
frisch gemahlener Pfeffer

Kirschen

3 EL Zucker
1 dl/100 ml Rotweinessig
½ dl/50 ml Rotwein, z. B. Merlot
½ dl/50 ml Kirschensaft
1 Zweig Rosmarin
1 kleine Knoblauchzehe
120 g entsteinte
schwarze Kirschen

1.   Für das Pâté gehäutete
Kalbsleber, Schweinefleisch,
Speck und Zwiebeln durch den
Fleischwolf (feine Scheibe)
drehen. Rahm leicht erwärmen,
mit den verquirlten Eiern vorsichtig unter die Masse rühren,
auf Eiswasser (Wasser mit
Eiswürfeln) kalt rühren. Mit Salz
und Pfeffer würzen. In eine
Terrinenform von ½ Liter Inhalt
füllen. Den Deckel aufsetzen
oder die Form mit einer Alufolie
verschließen. Terrine in eine
ofenfeste Form stellen und bis

Fortsetzung Seite 82

PÂTÉ AU FOIE DE VEAU
AVEC CERISES À L'AIGRE-DOUX

ENTRÉE

250 g de foie de veau
50 g de viande de porc
50 g de lard fumé
20 g d'oignons
1,7 dl de crème entière
2 œufs battus
sel
poivre noire du moulin

Cerises

3 cs de sucre
1 dl de vinaigre au vin rouge
½ dl de vin rouge, p. ex. Merlot
½ dl de jus de cerises
1 branche de romarin
1 petite gousse d'ail
120 g de cerises noires
dénoyautées

1.   Pour le pâté: passer dans
le moulin à viande avec grille
la plus fine le foie sans la peau,
la viande de porc, le lard et
l'oignon. Chauffer légèrement
la crème et incorporer à la masse
de viande avec les œufs.
Remuer jusqu'à refroidissement
dans de l'eau glacée (eau
avec glaçons). Assaisonner.
Transvaser dans une terrine à
½ litre de volume. Poser
un couvercle ou boucher avec

suite à la page 82

VEAL LIVER PÂTÉ WITH SWEET-AND-SOUR CHERRIES

STARTER

250 g liver of veal
50 g pork
50 g smoked bacon
20 g onions
170 ml cream
2 free-range eggs, whisked
salt
freshly ground pepper

Cherries

3 tbsp sugar
100 ml red wine vinegar
50 ml red wine, i.e. Merlot
50 ml cherry juice
1 twig rosemary
1 small clover of garlic
120 g black cherries
without stones

1.   Pass the skinned liver,
pork, bacon and onions
through the meat grinder (fine
cutter). Heat cream at moderate
temperature, fold eggs carefully into the meat mixture, hold
over iced water, stir until cold
(water with ice cubes). Season.
Fill into a terrine (content
for ½ litre). Put on lid or cover
with aluminium foil. Place terrine
in a ovenproof dish, which

continued page 82

auf ¾ Höhe mit Wasser füllen.
Im vorgeheizten Ofen bei 150 °C
90 Minuten pochieren. Aus
dem Ofen nehmen, auskühlen
lassen.

2. Für die süßsauren
Kirschen den Zucker leicht kara-
mellisieren, mit Rotweinessig,
Rotwein und Kirschensaft
ablöschen, Gewürze zugeben,
köcheln lassen, bis sich der
Karamell aufgelöst hat. Kirschen
zugeben, etwa 10 Minuten
köcheln. Auskühlen lassen.

Tipp Mit einem knusprigen
Kartoffelbrot servieren.

une feuille d'alu. Placer la terrine
dans une cocotte, la remplir
à ¾ d'eau et faire pocher à four
préchauffé, 90 minutes à
150 °C. Retirer du four et laisser
refroidir.

2. Pour les cerises, faire
légèrement caraméliser le sucre,
ajouter le vin, le vinaigre et
le jus de cerises, puis les épices.
Laisser mijoter jusqu'à dissolution
du caramel. Ajouter les cerises,
faire mijoter encore 10 minutes.
Laisser refroidir.

Conseil Servir avec un
pain croustillant aux pommes de
terre.

should then be filled up ¾ with
water. Poach in preheated
oven at 150 °C for 90 minutes.
Remove from oven and let
cool.

2. Slightly caramelize
the sugar for the cherries, add
vinegar, wine, cherry juice
and spices and simmer until caramel has dissolved. Add black
cherries, simmer for about
10 minutes. Let cool.

Tip Serve with a crusty
potatoe bread.

REHRÜCKENFILET-MEDAILLONS

AUS «GRINDELWALDNER» JAGD
AUF ROTWEINRISOTTO UND
GEBRATENEM HONIG-BRÜSSELER-
ENDIVIE

MAHLZEIT
2 EL Olivenöl
1 EL Butter
8 Rehrückenmedaillons, je 60 g
8 dünne Speckscheiben

Risotto
20 g Butter
1 EL Olivenöl
2 kleine Schalotten, fein gehackt
1 Knoblauchzehe
120 g Risottoreis
2 dl/200 ml Rotwein,
am besten Merlot
1½ dl/150 ml kräftige
Fleischbrühe
50 g geriebener «Böniger»-
oder anderer Bergkäse
30 g Butter
Salz
frisch gemahlener Pfeffer

Brüsseler Endivie
4 kleine weiße
Brüsseler Endivien
Salz
frisch gemahlener Pfeffer
2 EL Butter
1 EL Waldhonig

MÉDAILLONS DE SELLE DE CHEVREUIL

DE «GRINDELWALD» SUR RISOTTO
AU VIN ROUGE ET ENDIVES
BRAISÉES AU MIEL

REPAS
2 cs d'huile d'olive
1 cs de beurre
8 médaillons de selle de chevreuil,
60 g chacun
8 minces tranches de lard

Risotto
20 g de beurre
1 cs d'huile d'olive
2 petites échalotes
hachées finement
1 gousse d'ail
120 g de riz pour risotto
2 dl de vin rouge, p. ex. Merlot
1½ dl de bouillon de viande corsé
50 g de fromage de «Bönigen»
ou autre fromage de montagne
30 g de beurre
sel et poivre

Endives belges
4 petites endives belges blanches
sel et poivre
2 cs de beurre
1 cs de miel de forêt

SADDLE VENISON MEDALLIONS FROM

«GRINDELWALD» HUNT
ON RED WINE RISOTTO AND FRIED
HONEY ENDIVES

MAIN DISH
2 tbsp olive oil
1 tbsp butter
8 saddle of venison medallions,
60 g each

8 thin slices bacon

Risotto
20 g butter
1 tbsp olive oil
2 small shallots, finely chopped
1 clover garlic
120 g risotto rice
200 ml red wine, best to use
Merlot
150 ml strong gravy
50 g grated «Böniger»
or other mountain cheese
30 g butter
salt, pepper

Endives
4 small white endives
salt, pepper
2 tbsp butter
1 tbsp forest honey

Fortsetzung Seite 84

suite à la page 84

continued page 84

Fortsetzung von Seite 83   suite de la page 83   continued from page 83

1. Für den Risotto Schalotten mit durchgepresster Knoblauchzehe im Butter-Olivenöl-Gemisch andünsten, Reis mitdünsten, mit der Hälfte des Rotweins ablöschen, Reis bei schwacher Hitze unter häufigem Rühren köcheln, bis jeweils die Flüssigkeit aufgenommen ist, dann restlichen Wein und Fleischbrühe zugeben. Vor dem Servieren nochmals erhitzen, Käse und Butter unterrühren, mit Salz und Pfeffer abschmecken.

2. Rehmedaillons mit den Speckscheiben umwickeln. Im Olivenöl-Butter-Gemisch auf jeder Seite 1 Minute braten, bei 70 °C 10 bis 15 Minuten warmstellen.

3. Die Brüsseler Endivien längs halbieren, mit Salz und Pfeffer würzen. In einer beschichteten Bratpfanne in der Butter langsam braten, nach etwa 5 Minuten Honig darüberträufeln und fertig braten.

1. Pour le risotto faire revenir l'échalote et l'ail pressé dans le mélange huile d'olive-beurre, ajouter le riz et faire revenir encore, verser la moitié du vin rouge et laisser mijoter en remuant régulièrement jusqu'à absorption de tout le liquide. Ajouter ensuite le reste du vin et le bouillon chaud. Réchauffer avant de servir, incorporer beurre et fromage, saler et poivrer.

2. Enrober les médaillons de lard et les faire rôtir 1 minute de chaque côté. Les garder au chaud 10–15 minutes à 70 °C.

3. Couper les endives belges en deux dans le sens de la longueur, les saler et poivrer, les faire griller lentement dans le beurre, dans une poêle anti-adhésive. Après 5 minutes environ, faire couler le miel par-dessus et terminer la cuisson.

1. For the risotto fry shallots and pressed clover of garlic in the butter and olive mixture, add rice, dowse with half the red wine, simmer rice and continually stir until the liquid has been absorbed, then add the rest of the wine and gravy. Heat up again before serving, stir in cheese and butter, season with salt and pepper.

2. Wrap the medallions with the bacon. Fry in the olive oil and butter mixture on each side for 1 minute, set aside in oven at 70 °C for 10 to 15 minutes.

3. Halve the endives lengthwise and season with salt and pepper. Slowly fry in the butter in a coated frying pan, sprinkle with the forest honey and finish frying.

«SIMMENTALER» RINDS-INVOLTINI MIT GEBRATENEN STEINPILZEN UND KNÖDELN

MAHLZEIT

je 1 EL Olivenöl und Butter
4 Rindshuftschnitzel, je 110 g,
flach geklopft

je 1 TL Olivenöl und Butter
8 kleine Steinpilze, halbiert
1 rote Zwiebel, in feinen Spalten

240 g Sauerteigbrot
0,4 dl/40 ml Milch
2 dl/200 ml Sauerrahm/-sahne
2 Eigelbe, Salz, Pfeffer
Butter zum Braten

1. Das Sauerteigbrot in 1 cm große Würfel schneiden, mit Milch, Sauerrahm und Eigelben mischen, mit Salz und Pfeffer würzen, 30 Minuten ziehen lassen. Brotmasse auf eine Alufolie geben, eine Wurst formen, einwickeln. Über Dampf bei 90 °C 15 Minuten garen. Erkalten lassen, aus der Folie nehmen. In 1 cm dicke Scheiben schneiden, in beschichteter Bratpfanne in der Butter beidseitig braten.

2. Steinpilze und Zwiebeln in der Olivenöl-Butter-Mischung braten, mit Salz und Pfeffer würzen.

3. Rindsschnitzel mit Salz und Pfeffer würzen, satt aufrollen, mit 1–2 Spießchen fixieren. In der Olivenöl-Butter-Mischung rundum braten.

4. Knödel auf Teller legen, Involtini daraufsetzen, mit Pilzen und Zwiebeln umgeben.

INVOLTINI AU BŒUF DU «SIMMENTAL» AVEC BOLETS GRILLÉS ET KNÖDELS

REPAS

1 cs d'huile d'olive et de beurre
4 tranches de bœuf (rumsteck),
110 g chacune, aplaties

1 cc d'huile d'olive et de beurre
8 petits bolets coupés en deux
1 oignon rouge en fines lamelles

240 g de pain au levain
0,4 dl de lait, 2 dl de crème
acidulée, 2 jaunes d'œufs
sel et poivre, beurre pour frire

1. Pour les knödels, couper le pain au levain en dés de 1 cm, les mélanger au lait, à la crème acidulée et au jaune d'œuf, saler et poivrer et laisser reposer 30 minutes. Verser la masse sur du papier alu et l'emballer en formant une saucisse. Faire cuire à la vapeur, 15 minutes à 90 °C. Laisser refroidir, retirer de l'alu, débiter en tranches de 1 cm d'épaisseur. Faire frire les tranches au beurre des deux côtés, dans une poêle anti-adhésive.

2. Rôtir les bolets et l'oignon dans le mélange huile d'olive-beurre, saler et poivrer.

3. Saler et poivrer les tranches de bœuf, les enrouler et fixer avec 1–2 cure-dents. Les griller de tous les côtés dans le mélange huile d'olive-beurre.

4. Déposer les knödels sur les assiettes, y déposer les involtinis et placer les bolets autour.

«SIMMENTAL» BEEF INVOLTINI WITH FRIED YELLOW BOLETUS MUSHROOMS AND SOURDOUGH DUMPLINGS

MAIN DISH

1 tbsp olive oil and butter each
4 beef cutlets, 110 g each,
flattened

1 tbsp olive oil and butter each
8 small yellow boletus
mushrooms, in halves
1 red onion, in fine wedges

240 g sourdough bread
40 ml milk, 200 ml sour cream
2 egg yolks, salt, pepper
butter for frying

1. Cut sourdough bread into 1 cm sized cubes, mix with milk, sour cream and egg yolks, season with salt and pepper, let steep for 30 minutes. Place dough on an aluminium foil, form a sausage, wrap. Steam at 90 °C for 15 minutes. Let cool, remove from foil, cut 1 cm thick slices, and fry in butter on both sides in a coated frying pan.

2. Fry yellow boletus mushrooms and onions in the olive oil and butter mixture, season with salt and pepper.

3. Season the beef cutlets with salt and pepper, tightly roll together, and fix with one or two toothpicks. Fry in the olive oil and butter mixture.

4. Place the dumplings on plates, place involtini on them, arrange mushrooms and onions around them.

AM STÜCK GLASIERTE KALBSHAXE MIT «SUURREM MOST», WURZELGEMÜSE UND KARTOFFELN

MAHLZEIT

2 EL Olivenöl, 2 EL Butter
1 Kalbshaxe, ca. 1,2 kg
2 frische Lorbeerblätter
reichlich gehackte frische Kräuter,
z. B. Salbei, Rosmarin, Thymian,
glattblättrige Petersilie
Salz, Pfeffer
6 Bundkarotten, ½ Knollensellerie
2 Sproß Stangensellerie
6 Schalotten, 12 kleine Kartoffeln
½ l vergorener Apfelsaft
1 kleiner Apfel

1. Backofen auf 180 °C vorheizen.
2. Die Kalbshaxe im Brattopf/Bräter im Olivenöl-Butter-Gemisch allseitig langsam anbraten. Lorbeerblätter und Kräuter zugeben, mit Salz und Pfeffer würzen. Im Brattopf in den Ofen schieben, bei 180 °C 40 Minuten braten. Temperatur auf 160 °C zurückschalten.
3. Karotten ganz lassen. Knollensellerie schälen, in Würfel schneiden. Selleriestangen eventuell schälen, in 5 cm lange Stücke schneiden. Schalotten vierteln.
4. Gemüse, Kartoffeln und Apfelsaft zum Fleisch geben, Bratgut immer wieder mit dem Bratfond übergießen. Apfel mit Schale vierteln und entkernen, in Spalten schneiden, die letzten 10 Minuten mitgaren.

JARRET DE VEAU ENTIER AU CIDRE, LÉGUMES D'HIVER ET POMMES DE TERRE

REPAS

2 cs d'huile d'olive, 2 cs de beurre
1 jarret de veau, environ 1,2 kg
2 feuilles de laurier fraîches
un grand bouquet garni, sauge,
romarin, thym, persil plat, etc.
sel et poivre
6 carottes en botte, ½ céleri-rave
2 tiges de céleri-branche
6 échalotes
12 petites pommes de terre
½ l de cidre, 1 petite pomme

1. Préchauffer le four à 180 °C.
2. Dans une cocotte, faire rôtir le jarret de veau de tous les côtés lentement dans le mélange huile d'olive-beurre. Ajouter laurier et le bouquet garni, saler et poivrer la viande et glisser au four. Faire rôtir 40 minutes à 180 °C, puis réduire la température à 160 °C.
3. Nettoyer les légumes, peler le céleri, éventuellement les branches de céleri et les carottes. Couper les échalotes en quartiers, les légumes en cubes, sauf les carottes.
4. Ajouter les légumes, les pommes de terre et le cidre à la viande, arroser souvent les légumes et la viande avec le jus de cuisson. Couper la pomme en quartiers, retirer le trognon, l'ajouter aux légumes pour les 10 dernières minutes de cuisson.

GLAZED KNUCKLE OF VEAL WITH CIDER, ROOT VEGETABLES AND POTATOES

MAIN DISH

2 tbsp olive oil
2 tbsp butter
1 knuckle of veal, about 1,2 kg
2 fresh bay leaves
plenty of freshly chopped herbs,
i.e. sage, rosemary, thyme,
flat-leaved parsley
salt, pepper
6 carrots
½ celeriac
2 celery sticks
6 shallots
12 small potatoes
½ l cider
1 small apple

1. Preheat oven to 180°C.
2. Slowly fry knuckle of veal in an ovenproof dish in the olive oil and butter mixture on all sides. Add bay leaves and herbs, season with salt and pepper. Leave meat in dish and place in oven, bake at 180 °C for 40 minutes. Reduce temperature to 160 °C.
3. Don't peel carrots. Peel celeriac and dice. Peel celery if necessary, cut into 5 cm long pieces. Cut shallots in quarters.
4. Add all the vegetables, potatoes and the cider to the meat, keep on dowsing the meat with the gravy. Quarter unpeeled apples, remove core, cut into wedges and add to the dish for the last 10 minutes.

URS WANDELER

Stationen: Georges Wenger, Le Noirmont;
Schloss Schadau, Thun; 5 Jahre Küchenchef im
Grand-Hotel Victoria-Jungfrau, Interlaken.
Seit 2004 Küchenchef und Geschäftsführer im
Hotel-Restaurant Schönbühl, Hilterfingen.
Seine Begeisterung für Naturprodukte und eine
kreative Küche gibt er seinen Lehrlingen
weiter. Er erhielt dafür 2006 den «Zukunfts-
trägerpreis».

Etapes: Georges Wenger, Le Noirmont;
Schloss Schadau, Thoune; 5 ans chef de cuisine
au Grand-Hôtel Victoria-Jungfrau, Interlaken.
Depuis 2004, chef de cuisine et directeur de
l'Hôtel Schönbühl, Hilterfingen.
Il transmet son enthousiasme pour les produits
naturels et la cuisine créative à ses apprentis. Pour
cela, il a reçu en 2006 le «Zukunftsträgerpreis»,
le prix de l'espoir de l'avenir.

Milestones: Georges Wenger, Le Noirmont;
Schloss Schadau, Thun; chef for 5 years
in the Grand-Hotel Victoria Jungfrau, Interlaken.
Since 2004 chef and manager of the Hotel
Restaurant Schönbühl, Hilterfingen. He passes
on his enthusiasm for natural products and
a creative cuisine to his apprentices. For this he
received the prize for «Carrier of the future»
in 2006.

ELSBETH HOBMEIER

Chefredakteurin der Schweizer hotel + tourismus
revue (seit 2007). Journalistin und Autorin.
Bekannte Weinjournalistin. Autorin von Sach-
büchern (Balsamico, Weinwanderwege, Restaurantführer). Gestaltung von Radiosendungen zu
kulinarischen Themen.

Rédactrice en chef de la revue «hôtel + tourisme»
(depuis 2007). Journaliste et auteur, elle est
aussi une journaliste vinicole bien connue et auteur
de livres de documentation (Balsamico,
Weinwanderwege, Restaurantführer). Productrice
d'émissions de radio sur des sujets culinaires.

Chief editor of the Swiss hotel + tourism magazine
(since 2007). Journalist and author. Wellknown
wine journalist. Author of specialised books
(Balsamico, wine hiking trails, restaurant guides).
Editing of radio transmissions about culinary
topics.

DAVE BRÜLLMANN

Ausbildung zum Fotografen. Nach Assistenten-
jahren während 3 Jahren Hauptverantwortlicher
für «das Bild» der Frauenzeitschrift Annabelle.
Seit 1973 selbständiger Fotograf im Bereich Repor-
tagen, People-, Food- und Lifestyle-Fotografie.

Formation de photographe. Après ses années
d'assistant, responsable de «das Bild» chez
Annabelle durant 3 ans. Depuis 1973, photographe
indépendant dans les domaines reportages,
poeple, food et lifestyle.

Trained photographer. After his assistant years,
he was man in charge for «das Bild» of the
women's magazine Annabelle for 3 years. Since
1973 he is an independent photographer
for the areas of reportage, people-, food- and
lifestyle photography.

Wo nicht anders vermerkt, sind die Rezepte
für 4 Personen berechnet.

Sans autres indications, les recettes sont
conçues pour 4 personnes.

The recipes are for 4 persons, unless stated
otherwise.

Gesetzt in den Schweizer Schriften «Syntax»
von Hans Eduard Meier (Inhalt),
«Helvetica» von Max Miedinger und
«Frutiger» von Adrian Frutiger (Umschlag).

Bildlegenden

Titel: Grimsel, Lauteraarhorn, Finsteraarhorn; Justistal, Alpabzug
Seite 4: Steingletscher/Sustenpass
Seiten 10/11: Steingletscher/Sustenpass; Grindelwald
Seiten 12/13: Justistal, Chästeilet; Schloss Oberhofen
Seiten 14/15: Grindelwald, Wengernalp-Bahn; Interlaken, Schlussgang Unspunnenfest
Seiten 16/17: Lauterbrunnen, Staubbachfall; Interlaken, Thunersee, DS Blümlisalp
Seiten 20/21: Iseltwald, Brienzersee; Ringoldswil, Thunersee, Niesen
Seiten 22/23: Justistal, Alpabzug; Rosenlaui, Engelhörner
Seite 39: Schwarzenegg, Blick Richtung Homberg
Seiten 40/41: Grimselpass, Oberaargebiet; Justitstal, Chästeilet
Seiten 54/55: Baum bei Buchen; Sustenregion, Tierberglihütte
Seiten 56/57: Lauterbrunnental, Breithorn; Interlaken, Unspunnenfest 2006
Seiten 75: Grindelwald, Eiger Nordwand
Seiten 76/77: Rosenlaui, Eiger Nordwand; Justistal, Alpabzug

© 2007 FONA Verlag AG, CH-5600 Lenzburg
www.fona.ch

Verantwortlich für das Lektorat: Léonie Haefeli-Schmid
Gestaltung: FonaGrafik
Interview mit Urs Wandeler und Porträts
der Produzenten: Elsbeth Hobmeier
Foodbilder und Porträts (Autoren, Produzenten):
Dave Brüllmann, Forch
Coverbilder (ohne Foodbilder) und Bilder Einführung:
Dietz Fotografen, Merlischachen; www.dietz.ch
Lithos: Photolitho AG, Gossau
Traduction française: Philippe Rebetez, Delémont
English translation: Swiss Work Mobile AG, Bern
Printed in Germany

ISBN 978-3-03780-249-6

**Berner Oberländer Produzenten
und Verkaufsstellen**
Das Beste der Region Berner Oberland
www.regionalprodukte-beo.ch
Tel. 033 828 37 37

Adressen der porträtierten Produzenten
Jürg Schenk
Ziegenmilchprodukte
Gappen
3622 Homberg bei Thun
Telefon 033 442 15 82
Der Käse ist bei den Käsespezialitäten
Wagner, Hünibach, und Christoph Bruni,
Käseaffineur, Thun, erhältlich.

Familie Markus Oppliger
Gemüsebau
Wisli
3654 Gunten am Thunersee
Telefon 033 251 34 26
Hofladen täglich geöffnet.

Hanspeter Kaufmann
Berufsfischer
Chalet Seerose
Tenn
3801 Iseltwald
Telefon 033 845 11 58
Verkauf direkt ab Haus.